COLECCIÓN
Mar de tinta
letras centroamericanas

Piedra Santa
EDITORIAL

AMANUENSE EDITORIAL

Ronald Flores

La rebelión de los zendales

Primera edición: 2008

ISBN: 978-99922-1-040-6

Amanuense Editorial -
Grupo Amanuense
11 Calle 22-84 A, z. 14 Residenciales
Darué
Ciudad de Guatemala, Guatemala
Telefax: (502) 2367-5364
amanuense@intelnett.com
www.grupoamanuense.com

Editorial Piedra Santa
37 Ave. 1-26 zona 7
Tels. (502) 2422 7676
Fax: (502) 2422 7610
editorial@piedrasanta.com
Guatemala, Guatemala, C. A.

Calle Camagüey No. 20-i.
Colonia Yumuri. San Salvador,
El Salvador, C.A.
Tels. (503) 2261-2281, 2261-2282.
elsalvador@piedrasanta.com

www.piedrasanta.com

Diseño e ilustración de portada:
Alejandro Azurdia

Diseño de interiores y diagramación:
Rodolfo Bolaños Sierra

Corrección de texto:
Ronald Flores
Michelle Juárez

Edición a cargo de:
Michelle Juárez

Impreso en Guatemala.

¿Soy acaso el guardián de mi hermano?
(Génesis 4. 9)

Para Steph, con amor.

Para Byron Barahona, César Salgado y Jessica Zaboroski,
por su amistad y apoyo.

Aclaración:

Este relato de ficción empleó como principal base documental la "Historia de las Provincias de San Vicente de Chiapas y Guatemala" del cronista Fray Francisco Ximénez y los ensayos "La Patria del Criollo" y "Motines de Indios" del historiador Severo Martínez Peláez.

Preámbulo

"¿Quién tiene que pedir perdón y quién puede otorgarlo?"

El fraile Francisco Ximénez aguardaba el regreso del cordero de Dios con una angustia tremenda. A cada cuanto le causaba escalofríos, le provocaba temblor en los dientes, le quitaba el apetito y hasta el sueño. Evitaba los momentos de quietud pues entonces creía escuchar el tormento de las almas en pena, vagando por el mundo, implorando perdón, buscando librarse de la hoguera eterna. Algunas noches, las veía deambular en la oscurana, como una delgada incandescencia que desaparecía al parpadear o al sumirse en las sombras de un paredón cualquiera.

Rogaba que la muerte lo encontrara confesado o que se le concediera recibir la extremaunción para aliviar su corazón contrito, implorando piedad. ¡Piedad!, al menos eso. En el hondo pozo del silencio nocturno, percibía el relinchar de los caballos y el aterrador estruendo de las trompetas. Observaba la luna, temiendo hallarla bermeja, una gota de sangre sobre el oscuro fondo del firmamento. Sospechaba que vivía en los días adversos, ubicados al final de los tiempos. Amanecía con los ojos aún abiertos, inquieto sobre los tablones, en el interior de su húmedo aposento.

Aunque intentó consagrar su vida a librar la buena batalla, no todo sirvió a un buen propósito. ¿Cómo saber si sus acciones lo alejaron de la senda estrecha? ¡Líbranos del mal! Tal y como lo consignaba el deber cristiano, temía la hora definitiva, el juicio sobre su alma. Por confusión, exceso de entusiasmo o error, fue testigo y partícipe del mal gobierno del mundo. A pesar de los pecados cometidos y sus graves carencias humanas, esperaba contarse entre los salvos, no por sus propios méritos sino por la infinita conmiseración divina. De rodillas, golpeándose el pecho, clamaba: ¡Señor, ten piedad de nosotros! En la congoja, cerraba los ojos, enunciaba los salmos y se encomendaba al Señor, sollozando.

Encomendarse al Señor... el fraile Ximénez se aferraba a la promesa de salvación con fe absoluta. ¿Qué más podía esperar un simple hijo de padres sencillos? Una y otra vez, la vida, llama vulnerable, breve soplo, le demostró que la fe sana a los enfermos, expulsa a los demonios, mueve montañas y resucita a los muertos.

La fe lo llevó al convento de San Pablo y Santo Domingo de la ciudad de Écija, cuando murió su progenitor. María, su madre, también huérfana a una edad temprana, impulsó al hijo a que buscara el cobijo divino ante las incertidumbres mundanas. El acto de su madre, una mujer humilde y devota, le recordaba que así como el pecado entró al mundo por intermediación femenina, así una mujer aceptó que se hiciera la voluntad divina para que Nuestro Señor fuera concebido. ¡Santísima Virgen María, ruega por nosotros!

En el convento descubrió el sosiego que brinda el disciplinado aprendizaje de la gramática y la retórica, como senderos de acceso a las Sagradas Escrituras, a la palabra divina, a la presencia de Dios en el mundo. El éxtasis que se alcanza por medio de la contemplación. Dios Padre, Hijo y Espíritu Santo, abstracto e inescrutable, más allá de los límites de la comprensión humana, más allá de la razón, pero cercano, íntimo.

El fraile Ximénez cavilaba sobre esos momentos de su peregrinaje en esta tierra en los que presenció situaciones abominables, grotescas, el franco despliegue de la miseria humana. ¡De lo que somos capaces! Si no por observación o participación, durante las confesiones fue constatando las consecuencias de las pasiones desbordadas: los celos, la lujuria, pero particularmente, la ira. Por supuesto que el fraile Ximénez aprendió a temer la ira de Dios, pero nada mundano lo atemorizaba tanto como la manifestación de la ira humana, esa fuerza ciega capaz de arrasar con lo que tenga por delante, el averno que habita en el interior del hombre.

Pensaba que vivía un tiempo similar al de los profetas. Como ellos, se sentía furioso y solitario. Aislado, vagando por un desierto metafórico, enfrentado a las multitudes entregadas al placer de los sentidos, a la adoración de dioses falsos. Más que Jerusalén, parecía que Sodoma y Gomorra se reproducían por la Tierra. Sin embargo, la voz de Dios no le ordenaba ninguna acción ni le brindaba consuelo. Anhelaba aquel maravilloso privilegio, aún cuando le comandara dirigirse a Nínive. No obstante, la comunicación entre Dios y sus siervos estaba rota; quedaban las Sagradas Escrituras, la huella petrificada de aquella comunicación fluida, en medio de un silencio inescrutable.

Nunca se creyó tan cercano a los infiernos como cuando los nativos bajaron de los cerros y buscaron venganza por los abusos cometidos durante siglos. La rebelión de los zendales conllevó herejías, sexo y violencia desenfrenada. La insumisión súbita esparció la ira en aquellos días aciagos, la ira en combustión constante, alimentándose y expandiéndose a sí misma, como el fuego que consumía la higuera del desierto. Los demonios rumiaron la tierra; los demonios que permanecieron ocultos tras la llegada de las huestes de Santiago, santo patrono.

Desde entonces, han pasado los años y un poco el olvido. Sin embargo, el fraile Ximénez aún recuerda aquellos hechos que lo estremecieron como nada antes en su insignificante andar. Ha dedicado muchas de sus horas de meditación y de ayuno para reflexionar las causas que originaron esa horrenda explosión del mal. ¿Acaso por eso Dios los envió a evangelizar estas tierras? ¿Era aquel el costo de propagar las buenas nuevas con la violencia de la espada, por medio del fuego purificador de las hogueras?

La violencia engendra violencia, resultaba una verdad tan sencilla. Fray Bartolomé de las Casas demostró que era posible una forma distinta de predicar los Evangelios. La culpa mortificaba al fraile Ximénez con una intensidad casi placentera. En las horas insomnes, ponderaba la responsabilidad que tuvo en todo aquello. Por pensamiento, palabra, obra u omisión. ¡Ten piedad de nosotros!

En agosto del año del Señor 1712, en la lejana provincia de Utrech, castellanos, galos y bretones acordaron una leve tregua en esa encarnizada batalla por ocupar el trono de Babilonia (*Portal de los dioses*), alzarse con el báculo que regenta los poderes terrenales en nombre del príncipe de las Tinieblas.

Entonces, en el extremo austral del virreinato de Nueva España, en un pliegue de la sierra Lacandona, en la región en donde el fraile Ximénez servía al rey Felipe pensando que era a Dios a quien servía, estalló la rebelión de los zendales.

Sobre dichos nativos, el fraile Ximénez escribió una desgarradora relación, esperando que se le otorgara la gracia de concluirla antes de ser llamado a la presencia del Altísimo. En esa extensa confesión derramó tinta por la sangre derramada. Debía limpiar su consciencia de la suciedad que se le impregnó al conocer aquellos hechos tumultuosos, que continuaban sin explicación. ¿Formaban parte del plan divino?

La escritura de la relación le pareció una búsqueda radical de absolución, un silencioso clamor por el perdón supremo. Laboró con fe en aquella silenciosa plegaria que elevó hacia el Señor, como una ofrenda de humildad y arrepentimiento.

El pulso del fraile Ximénez se ha tornado tembloroso. Su mano se ha deformado a causa de lo mucho que hizo danzar el canutero sobre el pálido folio a lo largo de los años. El obstinado hundimiento de la pluma en el pomo de tinta le ha provocado un agudo dolor de codo, el ritual de transfigurarse en el fantasma múltiple de lo escrito. Dentro de poco, teme que la niebla de la edad emborrone su cansada mirada y no pueda convocar más el oscuro placer que le otorgan los coágulos de tinta, el blanco silencio entre las formas, la dilatada meditación que lo conforma.

Sucedían los parsimoniosos días y las lóbregas noches de un verano lluvioso, pletórico en huracanes, estertores telúricos y plagas que caían desde los cielos, en una apacible ciudad, remanso de civilización, isla en medio de las montañas y las selvas. El astro dejaba el trazo de la melena en llamas sobre las cenizas que desperdigaba el persistente aleteo de los murciélagos para aquel que pudiera interpretar el delicado trazo de esos signos efímeros inscritos en la piel celestial. Cuánto hubiera dado por trocar su deleite por la escritura para gozar del talento requerido para descifrar su destino en aquella insondable caligrafía, el cabo de la aguja con que tejía su vida entre el tumultuoso pajar de los contemporáneos, un destello del frío metal que le permitiera entrever el umbral que aguardaba cruzar.

Según la cuenta gregoriana, se conmemoraban los 1712 años desde que su esperanza de redención naciera en un pesebre, esa ilusión a la que se abrazaba en agonía, exhausto como se encuentra de librar su constante pequeña guerra contra las sombras del engaño. Temía alejarse del perdón divino, no como consecuencia de los actos que cometió sino debido a los que omitió por debilidad, por la cobardía que experimentó al constatar su pequeñez e impotencia ante la magnitud del reto. Era tan sólo un hombre, un hombre solitario en la tormenta desgarradora de la violencia humana.

¿Varón de virtud? Con frecuencia, se consideró incapaz de enfrentar las fuerzas del mal que gobiernan el mundo en nombre de los Reyes Católicos, por eso se apartó y se entregó al más riguroso estado contemplativo. Actuar tan sólo lo llevaría a una muerte temprana y acaso violenta. Se pensó incapaz de transfigurar la debilidad de su carne en holocausto, sacrificio agradable a la mirada del Altísimo. Por eso, se encerraba tras la doble puerta de caoba de la parroquia y se dedicaba a registrar el devenir de los hechos humanos tratando de encontrar en ellos rastros de la presencia divina.

"Señor", clamaba el fraile Ximénez con un grave temblor en la voz, "ten piedad de este pobre siervo tuyo que tras ser abatido en sus más enraizadas convicciones, duda de los hombres que niegan con sus actos la palabra que predican. Dicen alabarte pero te traicionan. Desvían a los que pudieron llegar a ser tus fieles, quienes terminan como víctimas inocentes de los designios perversos de quienes se hacen pasar por tus vicarios".

El fraile Ximénez ha sido uno de esos dominicos que, entre ladridos y tarascadas, se llamaron a sí mismos "los canes del Señor" pero talvez sirven a quien lo desafiara. Más que celosos guardianes de los dogmas, eran puntuales cobradores, repartidores y espías. Los dominicos conforman el largo brazo que impide que los colonos se alcen con el poder de las distantes posesiones de la Corona. Estos fieros custodios del Hades, disfrazados de mansos pastores, impulsaron el comercio de esclavos de África y la concentración de los nativos en pueblos que los reducía a ese rígido orden de calles y letanías, piedras sobre el limo desplegadas. Los indios, por su obra y gracia, fueron recluidos en los pueblos, desde donde les exigían tributo, los repartían y encomendaban a los hacendados, en nombre de una autoridad distante. Es el reino en el que no se pone el sol que, como en los tiempos ancestrales, se nutre de la sangre ofrendada.

El tributo por cada pueblo de indios resulta una contabilidad de la infamia: mantas, mieles, gallinas, maíz, fríjol, chile, cacao y la mayor cantidad de monedas posibles. Los cobros de impuestos a los humildes con que las autoridades financian su lujuria requieren de la inventiva de los pillos, la sutileza de los extorsionadores y la permanente amenaza de las armas. El tributo de los indios no les basta; exigen también su trabajo. El único oro que hallaron en el reino de Guatemala fue el trabajo forzado de los naturales. Nada que ver con el orden y la justicia divina, para la cual el fraile Ximénez le gustaba pensar que servía.

Acaso la rebelión de los zendales fue una reacción tardía a lo que desencadenó la Real Cédula, emitida por un monarca ebrio del efímero poder terrenal que le concedió el amo de la noche, expedida el 14 de marzo de 1682 en la distante ciudad de Madrid. La cédula en mención despojó a la Orden de Santo Domingo de la doctrina de siete pueblos zendales, que hasta entonces tuvieron a su cuidado. Se trataba de pueblos de indios ubicados en al altiplano próximo a la selva lacandona, en jurisdicción de la Capitanía General de Guatemala, al borde del virreinato de la Nueva España. El 30 de diciembre de 1686, el Consejo de Indias le devolvió a la orden el cuidado de dichos pueblos, la cual retomó con celo sus antiguas funciones.

¡Vaya si justos pagan por pecadores! El nuevo régimen de cuidado provocó la única rebelión nativa suscitada durante la Colonia en aquella región. Imaginar a los nativos bajando de los cerros, furiosos, iracundos, decididos a matar o morir, armados de lanzas, palos y machetes, aún estremece al fraile Ximénez. Intentando dejar atrás la impresión que le causó escuchar las confesiones de los oprimidos, de los opresores, el ver la ira inyectada en los ojos de los nativos (para olvidar aquel aluvión de miradas de locura y desesperación), escribe…

Provocaciones

1
Balam

Balam trotaba por los senderos olvidados. Jadeando, con el corazón palpitando acelerado, subía los cerros y bajaba a lo profundo de los ziguanes, agotando la selva, para alcanzar el mar, cielo que fluye, torrente primigenio, origen y fin. Cuando alcanzó el punto en donde la tierra se vuelve arena y la arena agua, cambió el trote por remos. Se adentró en la noche y el agua oscura que se sacudía y gemía por medio de la voz reiterativa del oleaje. Lenguaje divino, plegaria incesante a los dioses creadores. Arribo, repliegue y retorno. Oleaje de los cielos. La recreación del mundo y sus criaturas. Balam procuraba la isla ubicada a medio camino hacia el más allá, el confín de lo conocido, mientras el tiempo se enmascaraba y se volvía tenebroso, impredecible como una tormenta.

Jacinto Balam (llamado Juan García) remaba en un cayuco. Lo inspiraban los dioses ocultos, los dioses que no fueron derrotados por Santiago, sino que tan sólo se escondieron, en espera del momento propicio para retornar. ¡Tlaloc! Tenía que arribar antes de la media noche a la isla para consumar la ceremonia que provocaría el cambio, renacimiento y renovación del tiempo. De lo contrario, dejaría de arder el maíz en llamas y la tierra se volvería oscura e inhóspita, los hombres blancos se seguirían esparciendo como plaga por los sembradíos y morirían los que resisten en nombre de los dioses de los ancestros.

Atravesó la puerta del agua. Navegaba por días sin nombre que pronto acabarían. En medio de esos dos tonos de azul del horizonte, océano y cielo, Balam se preguntaba: "¿Será tiempo para recobrar nuestro poder? ¿Será la hora de nuestra venganza?"

Los remos se hundían en el oleaje a un ritmo constante y desesperado. Germinaba en la oscuridad. Atravesaba el umbral. Una voz le llegaba en el viento. Algo le decía, un mensaje que no conseguía descifrar pero que hacía que su corazón revoloteara en su pecho como si fuese una mariposa monarca o un colibrí. Poco le faltaba para alcanzar la sombra que distinguía en el horizonte. La isla de la diosa de la luna, enigmática y dadora de vida. Joven seductora y vieja partera, tierna y embravecida. Nacimiento y muerte a la vez. *Estoy escondido,* le decía el susurro del viento.

Su vista se perdió tras las olas. Dudaba. Balam sentía un huracán que lo arrastraba, sin moverlo del lugar. Un estremecimiento interno, las imágenes que cargaba en el pecho, las palabras que se le atoraban en el gaznate. *Estoy escondido.* La isla estaba cada vez más cerca. La playa se divisaba ya. Las fogatas encendidas, los cuerpos se iluminaban, intermitentes, con las lenguas de fuego. La danza. El ritual y el ciclo de los astros. El cayuco dejó una cicatriz en la arena de la playa. Se detuvo. Jacinto Balam saltó. Sus pies morenos se hundieron en la blanca arena. Escuchaba, cada vez más próximo, el tambor que bate al ritmo de su corazón. Las tinieblas se agitaban y sacudían.

En destellos, vio los rostros de las oficiantes en los que se mezclaban los colores con el placer; rojo, el deseo; amarillo, la sensualidad; azul, la melancolía; naranja, la pasión. Los senos expuestos de las doncellas, que correteaban alrededor de las fogatas; los muslos brillantes, los pies pequeños. Algunas ya habían sido atrapadas por los sacerdotes peregrinos, que las agotaban con caricias y besos. Los cuerpos danzaban, copulaban sobre la arena, en parejas o en pequeños grupos que compartían olores y líquidos, que intercalaban unos con otros. Distinguió también las columnas de humo que se perdían en la oscuridad de la noche.

Unas sacerdotisas jóvenes llegaron hasta él. Lo tumbaron en la arena, antes de cubrirlo de bocas, manos, vientres y piernas. De pronto, cruzó otro umbral. Consumaba el rito inicial. Palpaba los muslos que cabalgan sobre él, un pezón rozó su boca. Alguna más se sentó sobre su pecho, para frotarse mientras besaba a la que con él copulaba. Sus manos dieron con vulvas, pechos, espaldas que acariciaba. Escuchaba el milenario gemido del oleaje. Se apretaban más. Se pegaban más a él. Aumentaban su cadencia. Jacinto se dejó ir. Se estremeció dentro de la marea. Lanzó un grito liberador mientras su espíritu se desdoblaba. Pujaba. Era nadie, el mar, el viento y la tempestad.

Algunas se alejaron, riendo, celebrando, dando voces y estirando sus apetecibles cuerpos. ¡Tlaloc! Otras se quedaron a su costado, acariciándolo, compartiendo el calor y el deseo, parcialmente satisfecho. Batieron los tambores. Se escuchaban pujidos, gritos, las olas que rompían en la playa, el trote de las nubes. Mientras su cuerpo realizaba la descarga respectiva, su espíritu fue colmado por una revelación. Una imagen, una serie de imágenes, buscaban impregnarlo. No.... una recitación o una plegaria. Más bien, un susurro o una melodía procedente de un lugar indeterminable... Un mensaje iluminaba a Balam en aquel instante. Se volteó hacia el horizonte inacabable, de rodillas desnudo, pronunció palabras en su idioma materno:

— No has emergido de las profundidades. Te espera el día y la luz. No has llegado aún.

Levantando los brazos hacia el cielo, exclamó:

— Aquí estoy, a la orilla de la noche. Que te traiga de vuelta el rayo, que te anuncie el trueno, que se estremezca el mar. Te espera tu siervo, Huracán, en medio de la batalla. Ven a nosotros, tus creaciones.

2
Ximénez insomne

La noche del nueve de abril del año del Señor 1695, el fraile Francisco Ximénez no halló la paz del espíritu necesaria para conciliar el sueño. Empapó las sábanas de un sudor helado y culposo. Lo recorría una urgencia tropical. La lujuria encendía sus instintos. Era un hombre necio. Pensaba en el suculento cuerpo de una mujer que conocía, a quien había solicitado con ansias sin igual. Anhelaba poseerla en silencio, en la oscuridad, sin que nadie se percatara de ello. Abrazar su desnudez palpitante y tibia. Compenetrarla, volverse uno con su carne. Experimentaba las delicias de la concupiscencia. Se le antojaban las mieles que alberga la piel femenina. En la duermevela, imaginaba figuras y voces que le susurraban detrás de las sombras. Su estrecho recinto le pareció un sarcófago en el que se cobijaba noche tras noche.

(La vio entrando, doblegada, en la muerte)

Prefirió salir a la calle, buscar un poco de aire y quizás el azaroso alivio. Tras el portón, encontró refrescante el delicado sereno nocturno, esa casi invisible brizna que caía sobre las pesadas piedras apelmazadas en el barro. Mientras deambulaba, descubrió cierta similitud entre la soledad y las tinieblas. Los balcones de las casas, los dinteles, los faroles apagados y la bruma. La extraña gravitación de los cerros en la distancia. Las calles de la noche son el patio de juego del maligno, el momento de la tentación y el cruce con ánimas y espantos. Se arrepintió por salir, en vez de quedarse en su recinto y consagrarse a la plegaria, exponerse de esa manera a los artilugios de lo desconocido. El Sombrerón que rondaba las esquinas con la guitarra al hombro y el rostro oculto bajo las alas del charro, la Siguamonta cuyo cuerpo era el señuelo para atrapar a los incautos, la Llorona que clamaba por su hijo y el trote espeluznante del Cadejo. Han de estar y estarán…

Inmerso en esos temores, se topó con una de esas mujeres que deambulan por las noches, quien se acercó para ofrecerle caricias y sonsacarle unas monedas. El fraile Ximénez quiso retirarse en ese instante, pero la tentación que se adueñó de su cuerpo se lo impidió. La mano de la desconocida se posó sobre el corazón que palpitaba acelerado. Permaneció en silencio, detenido entre los brazos de aquella hembra implorante, mitad india, mitad española. Las manos de la mestiza descendieron por su vientre con destreza. Sintió la calidez de una sujeción hábil y experta. Emitió un gemido, sonidos guturales. La hembra se volteó para entregarle un secreto compartido mientras él cerraba los ojos por si el viejo refrán era cierto. Lo embargaba la mortificación del cuerpo y una sensación de alivio irrefrenable, ascendente.

De las tinieblas, surgió el rostro deforme de una anciana que no tenía ojos, sólo la piel hundida en las cavidades. La seguía un cortejo de perros jiotosos. La anciana prácticamente se topó con los cuerpos de los amantes. El fraile Ximénez se espantó al verla. Se retiró de la mestiza de manera brusca, sin haber concluido aún aquel azaroso ritual. La anciana lo insultó y los perros, haciéndole eco a su ama, le pelaron los dientes.

El fraile Ximénez huyó calle abajo mientras escuchaba las carcajadas de las hembras confundiéndose con los ladridos de los perros. A su vez, lo perseguían una respiración entrecortada y la voz chillona de la ciega, quien lo maldecía: "Condenado. Malparido. Ingrato. Padre de hijo de puta. Serás lanzado al borde de la tierra. Ahí conocerás la oscura noche del sufrimiento. Verás el castigo de los inocentes y la sangre desbordar los ríos. Quedarás vivo entre los muertos, implorando olvido".

Los pasos del fraile Ximénez fueron cada vez más rápidos. Corría sintiendo que una sombra volaba tras de él, hambrienta de una venganza ancestral, cuyo significado le parecía indescifrable.

3
El arribo de Martín González

Se embarcó hacia América, como tantos, sin ilusiones pero con esperanzas. Las razones que lo impulsaban eran complejas, complicadas, algunas de ellas secretas incluso para él. Acaso por deshacerse del recuerdo de una infancia atroz transcurrida en las calles de Sevilla. Le fastidiaba la fábula de buscador de fortuna, un hijo del azar y eterno procurador de la subsistencia. Se alejaba de lo que aborrecía: las mismas calles, las mismas personas, lo mismo de siempre.

América era una invitación abierta hacia lo desconocido: el Dorado, la Fuente de la eterna juventud, el reino de Las Amazonas. El mundo nuevo es para los que se arriesgan. Amaba la aventura y no tenía más opción.

Del viejo mundo, guardaría el recuerdo de la Plaza de *Dom Pedro Quarto* y las colinas de Lisboa, la ciudad en la que se embarcó. Le parecieron bellas y melancólicas, un paisaje para una despedida definitiva. El licor se encargó de borrar el resto, tumultuosas imágenes de un tiempo incierto, violento, miserable. Atravesar el mar fue un acto simbólico, un bautizo prolongado, luego del cual adquirió un nuevo nombre: Martín González. Sí, común, cualquiera se llama así, hasta un don nadie como él.

Martín González descendió del barco en el extenso muelle de la Vera Cruz, con aquel olor a trópico y misterio, y se perdió entre la multitud de estibadores y curiosos. El barco fue un útero que lo parió de nuevo. Se adentró en un mesón para beber y festejar la noche entera con un grupo de forajidos y mujerzuelas. ¡Vaya comienzo!

El Viejo Mundo era un universo estático, inmutable, que no le ofrecía cabida a alguien como Martín González. Martín buscaba la vida, con su incertidumbre y sus riesgos. Tenía ambición, por supuesto. Nació pobre, lo cual no constituía razón para morir en la misma condición. Al contrario, la pobreza no debía ser un destino sino una motivación. Martín quería ascender por la empinada pirámide social y había pocas formas para lograrlo: soldado, cura, letrado, o cómo Dios diera lugar. Nunca le pareció buena idea andar metido entre los libros; con estos, la recompensa consistía en un persistente dolor en el cuello y una ceguera prematura. Lo aconsejable era andar con los ojos bien abiertos porque "el que parpadea, pierde" y, además, "quien no arriesga no gana". Así era y punto. Punto. Sin discusión. Arriesgar. Qué más daba. Durante años pensó que estaba a punto de morir y aún seguía vivo.

Después de pasar un par de noches en el poblado de la Vera Cruz, Martín se lanzó tierra adentro para distanciarse de los aventureros como él que pululaban en las inmediaciones del puerto, cada cual con sus remembranzas de lances en los siete mares. Lo asaltaron al segundo día de camino. Como no llevaba más que un puñado de monedas, lo golpearon hasta darlo por muerto. Cuando volvió en sí, estaba oscuro y le dolían todos los huesos. Sin saber a dónde iba, se internó en el bosque y dio con un riachuelo. Se lavó y lloró amargamente hasta quedarse dormido.

Cuando aclaró el día, decidió asaltar al primer desprevenido que se le pusiera enfrente. A quien fuera. Qué importaba. Recogió un madero y lo usó de garrote. Cometió un hecho sangriento. Para qué recordarlo. Así como ese, otros. A las semanas, se unió a una banda de asaltadores, talvez la misma que lo había atacado. Ya no le importaba. Pasó meses ejerciendo el oficio, golpeando por sorpresa, acuchillando a quien se resistiera. No era algo agradable, pero valía el esfuerzo. Obtenía dinero, alimentos, ropas, hasta joyas. Con frecuencia, pasaban las noches en los mesones del puerto, bebiendo con otros salteadores, acostándose con las mujerzuelas.

Una noche se hartó de esa vida. Se separó del grupo mientras dormían y se internó en el monte sin veredas. Durante días cabalgó entre los cerros portentosos, entre la tupida maleza, entre los ziguanes que se abrían como abismos hacia la tinieblas. Quería estar solo y lo logró en medio de aquella vasta naturaleza. Agotó la selva sin senderos, entre los montes y los barrancos por donde el viento le confiaba los secretos de la tierra. Alguna vez cayó sobre los campamentos improvisados de otros salteadores de caminos. Hirió a varios y mató a más de alguno; sin embargo, bebió con la mayoría de ellos. Procuraba mantenerse a distancia de los caminos reales, sin meterse por completo en el territorio desconocido.

Al cabo de meses de merodear por aldeas de edificaciones de adobe, en donde robaba alimentos, llegó a un pueblo situado entre tres volcanes. Estaba cansado de pepenar cosechas y saltear caminos, teniendo que matar de vez en cuando a quienes reaccionaban agresivos a su manera de ganarse la vida.

Cuando Martín González descubrió ese pequeño poblado a la orilla del río (contemplar la mansa corriente lo dejó pensativo), con sus presuntuosas edificaciones de ladrillos y las cúpulas de sus múltiples templos, sintió el arrojo precipitarse por sus venas. Debía tomar al toro por los cuernos, sin titubear, sin concebir la posibilidad de fracasar. Actuar, lo más pronto posible. De una sola vez.

Martín se detuvo en la primera venta del camino para preguntar el nombre de la pequeña ciudad a la que se aproximaba, cuyo olor a mierda de caballo le advertía que estaba poblada por peninsulares. Le costó trabajo refrenar sus impulsos de asaltar aquella venta y matar al nativo vestido con un percudido traje de algodón. Pero tenía algo más en mente que una bolsa llena de reales, inmediata y fugaz. Durante las charlas con sus colegas, alcanzó una resolución tajante y definitiva.

El verdadero botín del nuevo mundo era un puesto en la administración de las colonias, un lugar en aquella extensa red de familiares y conocidos que gobernaban desde la península, lejanos y tranquilos. Por el sonido constante de las campanas, infirió que la ciudad se señoreaba sobre la región circundante. El pueblo estaba lleno de conservadores, presas fáciles para sus embustes, pues siempre escuchan sólo aquello que desean. Máxime si se les endulzaba el oído. La calle empedrada que se extendía bajos sus pies, le dijeron, conducía hasta la plaza de armas de la Muy Noble y Muy Leal, dos veces trasladada, ciudad del apóstol Santiago, capital del estrecho y alargado reino de Guatemala.

4
Nahuales

Volaba sobre las aguas mansas de un océano desconocido. El horizonte era el filo del enigma. Conforme se acercaba, distinguía, no una fosa que descendía hacia los abismos, sino una selva tupida que cubría la otra orilla de la tierra. El viento se deslizaba como una serpiente invisible sobre la copa de los árboles, navegando un manso oleaje de tonos azules y verdes.

Una piedra enorme irrumpía el paisaje, como una daga clavada en el pecho del bosque. Sobre la cima de esta, un hombre, sacerdote de los dioses de los ancestros, miraba hacia el firmamento en tinieblas. De a poco, descubrió que ese hombre era el centro de los círculos que trazaba el vuelo de un ave extraña, mitad serpiente, mitad guacamaya. Halló en esa coincidencia, el símbolo que los suyos esperaban. Lloró. El ave se posó en su hombro, primer barro de la tierra nueva. Ambos descendieron por una estrecha y empinada escalinata. La plazoleta estaba desierta. Si tan sólo fuera como antes, pensaba Jacinto Balam (también llamado Juan García), miles de ojos hubiesen sido testigos del prodigio.

Se internó bajo la oscura bóveda del denso follaje. Algo sucedía que les causaba dolor y desgarramiento. A cada paso que el hombre daba, su piel se poblaba de manchas, sus dientes se estiraban, sus uñas se tornaban garras, sus piernas se encogían; el ave perdía sus plumas que se convertían en escamas, hasta que se deslizaba desnuda por las hojas caídas a la tierra.

A trote uno, pegado a la tierra el otro, recorrieron selvas y poblados. Casas y troncos caídos. Se alimentaron de ratas y conejos. Durante los inviernos, durmieron entre las raíces del tronco del canchán, vía de comunicación entre los mundos inferiores y superiores. Bajo las noches inmensas, la serpiente y el jaguar observaron las formas que llevaban inscritas sus pieles.

A Jacinto Balam, entonces, le fue revelada la estrategia: atacar con alevosía, desde las sombras, sin ser descubierto. Encender el fuego. Armar la guerra, la verdadera actividad de los hombres en la Tierra. El primer golpe sería rotundo, certero, mortal. Atizar el fuego. Reclamarían el territorio que fue de sus ancestros y que ahora usurpaban los foráneos. Atizar el fuego. Se jugarían la vida en un salto; si fallaban y los mataban en el intento, habrían mordido con el veneno de la rebeldía, que mata de una manera lenta pero inexorable. Se alzarían. Lo peor que les podía pasar era la muerte, poca cosa frente a una vida de humillación y derrota. La guerra se constituía en el único camino para recuperar la dignidad y el territorio perdidos. Dar la vida para que triunfaran los suyos, una pequeña ofrenda, el sacrificio que reclamaban los dioses ancestrales, el tributo necesario para que el sol siguiera brillando.

Al cabo de tanto andar, llegaron al lugar: Ciudad Real. Hogar de los hombres que montaban sobre las bestias. Hombres a los que eliminarían, como a las bestias.

5
Advertencia al gobernador Cosío

En el año del Señor 1704, se presentó un hombre que se hacía llamar Martín González ante don Toribio José de Cosío y Campa, Caballero de la Orden de Calatrava, gobernador y capitán general de las provincias de Guatemala. El extraño llegó al palacio y tuvo la astucia, como pocos, de pedir audiencia. Decía ser un recién llegado de la Península, como tantos. El Gobernador hizo una excepción con él. Lo recibió por capricho, pues se moría del aburrimiento y el desconocido le pareció de rasgos agradables, buen porte, voz tonante y una ambición malévola.

La mirada del desconocido convenció al Capitán General que le podía resultar útil para llevar a cabo una labor para la cual no encontraba cómplice. El poder siempre necesita de personas surgidas de los bajos fondos, acostumbrados a tratar con rudeza a sus semejantes, dispuestos a someterse al régimen que les impongan sus superiores. Obedientes, sumisos, pero a la vez aventados y ambiciosos. Necesitaba encontrar a quién designar como alcalde mayor de Chiapas, una horrenda región cundida de nativos, a cambio de que le rindiera parte del botín anual que reporta el repartimiento de mercancías y algodones.

Se trataba de un negocio redondo, asegurado y amparado por el resto de las autoridades, pero que precisaba de un operador local competente. Al nivel más bajo, se obligaba a los nativos a vender sus productos (como la grana, el tabaco, el pataxte, los petates y el cacao) y luego también se les obligaba a comprar mercancías (como sombreros, mulas, machetes), al precio que al funcionario se le antojase; además, se les entregaba algodón en bruto para luego recibirlo transformado en hilo, pagando por esta labor lo que al funcionario le viniera en gana. Las ganancias eran, prácticamente, la paga del puesto.

Al gobernador Cosío, le pareció que Martín González aceptaría una propuesta así de burda y brutal; era un muerto de hambre dispuesto a cualquier cosa con tal de tener una vulgar oportunidad. Antes de proponerle el trato, el Gobernador lo sometió a algunas pruebas, para comprobar la materia de la cual estaba hecho quien podría llegar a ser una pieza en su maquinaria.

González se presentó como un bachiller de Salamanca y le contó una amena historia de sus tiempos de estudiante. El gobernador Cosío, al vuelo, adivinó que el individuo era un charlatán. Nunca pisó las aulas de la afamada Universidad, pero talvez laboró en alguno de los mesones que frecuentan los estudiantes. Un par de pistas le dieron la clave: el impostor ignoraba el nombre de los soberbios catedráticos pero sabía de memoria jocosas canciones que entonan los universitarios al calor del vino, cansados de libros y cátedras. Le agradó la forma en que el desconocido relató sus lances y sospechó que manejaba con destreza la espada.

Se puso de buen humor, lo convidó a una copa de vino y le preguntó si pensaba dilatar su estadía en la Muy Noble y Muy Leal. El aventurero titubeó antes de responder. Esa vaga inseguridad fue suficiente para el gobernador: había detectado el lado flaco que el desconocido se esmera-ba en ocultar. Sin duda, el recién llegado, como tantos, buscaba, con desesperación, algo a qué aferrarse. Su visita era un tiro de dados, en el que apostaba todo. Él mismo ignoraba la razón que lo había hecho llegar. Tan sólo esperaba que ocurriera algo, algún suceso mágico o inesperado que cambiara su suerte.

El gobernador Cosío se portó misericordioso al brindarle a Martín González una oportunidad. Le mencionó, como si el tema no tuviera relevancia alguna, que buscaba una persona de fiar para encargarse de la guardia del ayuntamiento. Se trataba de un cargo pesado, en donde se arriesgaba la vida. Se concentró en el vino hasta que escuchó la voz del desconocido arriesgada y, a la vez, temerosa, mordiendo el anzuelo.

González le comentó que buscaba explorar las colonias, de la Nueva España hasta el Alto Perú. Ese motivo lo condujo a la Muy Noble y Muy Leal, puesto que se encontraba a medio camino y él andaba en ruta. Agregó que no veía a mal demorarse, siempre y cuando el retraso sirviera a un buen propósito. Si se la ofrecía formalmente, no tendría inconveniente en asumir la posición, pues alguna experiencia tenía en ocupaciones de riesgo y valentía. Eso sí, puntualizó, hasta que se encontrara alguien mejor dotado o cuando fuera oportuno relevarlo. Lo haría con gusto, viendo que serviría a una persona justa y a la Corona, a quien todos se debían. El gobernador Cosío encontraba una de las piezas que precisaba.

Durante un año, controló a Martín González, quién desempeñó sus funciones a carta cabal, portándose como un caballero aunque fuera un hombre común. Entablaba buenas relaciones con los pobladores de la ciudad y trataba con dureza a los nativos, tanto que se hizo temer entre ellos. El Gobernador consideraba que si lo nombraba para el puesto de alcalde de Chiapas, le sería razonablemente fiel. De alguna forma, lo había comprado. Uno necesitaba un hombre astuto y decidido en Chiapas, y el otro, una oportunidad, donde fuera y de lo que fuera. Sin embargo, González se portaba temeroso, pues sabía que hombres como él atravesaban la mar océano por cientos, en cambio, hombres como don Toribio José de Cosío y Campa, Caballero de la Orden de Calatrava, gobernador y capitán general de las provincias de Guatemala, dotados de poder, prestigio y visión escaseaban en el nuevo mundo y sus puestos estaban más que asegurados.

Antes de nombrarlo alcalde de Chiapas, el Gobernador ponderó las circunstancias que enfrentaba González. Si le iba bien, ambos ganarían. Si la ambición lo tornaba en verdugo, la población protestaría; entonces lo sustituiría para lucirse como lo que era: un temible, astuto y hábil funcionario de la Corona.

Martín González fue nombrado alcalde mayor y teniente en la provincia de Chiapas por un plazo de cinco años, que iniciaban el 13 de septiembre de 1706. Sin embargo, la decisión del gobernador molestó al duque de Linares, Virrey de la Nueva España, pues el virrey pensaba que Clemente Velasco, una persona de su confianza, merecía ese puesto. Velasco, un criollo con reconocimiento que respondería al virrey Linares, en vez de un peninsular aventurero, subordinado del gobernador Cosío.

El puesto de alcalde de Chiapas, una provincia remota, no era una labor sencilla sino una misión complicada. Chiapas era una región sumamente conflictiva. Para el Gobernador, el alcalde debía ser un don nadie, alguien sin nada que perder, más que un criollo que arriesgaba su buen nombre. Además, el alcalde debía ser quien, llegado el momento, ejerciera la violencia sin contemplaciones ni miramientos. El designado prácticamente arriesgaba la vida; en especial, considerando el ánimo violento de los nativos en Chiapas, algo que el Virrey ignoraba por completo.

En esos días, el gobernador Cosío recibió la visita de Sebastián de la Gloria, un nativo de dicha provincia que fungía como justicia, un cargo menor pero importante a nivel local. El Virrey nunca le concedería audiencia a la chusma que el Gobernador atendía a diario. Cosío lo recibió porque quienes ejercían como justicias siempre le traían información valiosa, de primera mano, que ayudaba a vislumbrar lo que pasaba en la muchedumbre bajo su responsabilidad.

El nativo ingresó de una manera altiva al despacho del Gobernador. Vestía el antiguo traje ceremonial. En vez de mantener la vista baja, Sebastián de la Gloria miraba hacia arriba como todo un peninsular de abolengo. Además, tomaba el sombrero con una sola mano, no dándole vuelta con vergüenza como acostumbraban los demás nativos al estar ante la presencia de la autoridad. Portaba una vara de madera, que blandía con señorío. Lo acompañaba Juan García (llamado Jacinto Balam), un nativo con ropa de diario que permaneció callado.

En vez de esperar ser cuestionado, Sebastián de la Gloria lo increpó en un español entrecortado:

— ¿Hasta cuándo se va a negar a escuchar la voz de Dios? ¿Hasta cuándo va a dejar a los nativos en libertad? ¿Cuándo va a soltar el yugo, a liberar a los nativos que oprime valiéndose de la misma palabra de Dios, palabra que traiciona con sus actos?

Al Gobernador le pareció extraño lo que decía con voz temblorosa y la forma afectada con la que lo observaba, sin embargo lo dejó concluir. Aprovechando el silencio , Sebastián de la Gloria le advirtió:

— Si no libera a nuestros poblados de las tributaciones, si no nos deja vivir como vivíamos antes de su llegada, si nos siguen sometiendo al imperio de las otras leyes, caerán tantos chapulines desde el cielo que cubrirán la tierra, se comerán los sembrados y los árboles del campo, llenarán las ciudades, los poblados, las aldeas, será algo nunca visto en estas tierras. Y luego se desatará la ira.

La ira, anunció, y al verla dibujada en el rostro de aquel nativo, el Gobernador no pudo reprimir un leve temblor.

Luego de emitir esa tremenda advertencia, Sebastián de la Gloria y Juan García se marcharon. Quedó la puerta cerrada del despacho, el eco de sus palabras, que le parecieron necias al gobernador Cosío. Sin embargo, las recordó, meses más tarde, cuando le contaron que una plaga de langostas acabó con los cultivos de varios pueblos, los mismos pueblos que siempre se resistieron a pagar la tributación y que ahora, rumoraban, estaban por bajar de los cerros, furiosos, violentos.

6
Ciudad Real de Chiapas

Esta tierra no era una isla, tal y como lo consignó Diego de Landa; tampoco Cipango ni Catay sino más bien una parte del Nuevo Mundo. Ciudad Real de Chiapas, provincia del reino de Guatemala, se encontraba en una franja delgada de continente que separa a los dos mares océanos: el Atlántico y el vasto mar del Sur. Se trataba de una región cortada por montañas, volcanes y hondos barrancos. El territorio, en gran parte selvático, era caluroso y hasta el sol era opresivo. El invierno comenzaba el día de San Francisco y terminaba en marzo. Las lluvias iniciaban en abril y no dejaban de caer hasta septiembre.

En aquel entonces, Ciudad Real no era más que un conjunto de casas de barro cocido, pegadas unas con otras a lo largo de las callejuelas de lodo. 120 techos de roja teja y 410 techos de paja que separaban la noche privada que les daba el pellejo breve del párpado, de la inmensa noche pública poblada de estrellas, como granos de maíz amarillo sobre un comal tiznado. La mitad del tiempo llovía, a cántaros. Parecían ríos, cataratas que caían desde los cielos sin interrupción. Cuando escampaba, seiscientos seres de tez blanca se paseaban por las calles de Ciudad Real, mientras los dos mil seres silenciosos de piel oscura ejercían los oficios rudos. Los primeros se hacían llamar altivamente *criollos*, pero el resto les decía *gachupines, caxlanes* con saña. Muy pocas veces se hallaban peninsulares entre éstos. Los criollos llamaban *nativos* o *indios* a los segundos, con un golpe en la voz que atemorizaba por la carga de desprecio que conllevaba. Además, era más fácil decirles así, *indios*, que identificarlos por la etnia a la que pertenecían, diferencias sutiles que pasaban inadvertidas para los caxlanes: mayas, choles, zendales, mames, tzutuhiles, *indios* todos.

Había unos mil quinientos seres de rasgos indistinguibles; a caballo entre unos y otros, en cuyas muecas se advertía un dolor antiguo, una rabia contenida. A diferencia de los anteriores, estos nacían ocultos, en los cobertizos, en los establos, en los patios traseros. Los gachupines y los indios nombraban confusamente al tercero de los grupos con palabras lodosas: *ladinos* o *mestizos* porque no eran criollos ni nativos sino ambas cosas y ninguna a la vez.

Por aquellos días, el franciscano Juan Bautista Álvarez fue nombrado obispo de la Ciudad Real. Para cualquiera con un mínimo de sentido común, la principal tarea para el pastor de dichos conglomerados humanos, enfrentados entre sí, consistía en predicar el mandato cristiano: amaos los unos a los otros. Lograr que aprendieran a convivir pacíficamente personas cuya historia los empujaba, casi de manera inevitable, al conflicto. El Obispo Álvarez debía apaciguar la discordia que se instaló desde el inicio de su relación. Se trataba de conciliar a una sociedad escindida, iracunda y desgarrada que no lograba superar la violencia que los constituyó. Todo estaba presente en las conciencias: la irrupción de las huestes europeas; la efímera alianza que establecieron con los nativos que resentían el Imperio azteca; la forma en que los líderes nativos aliados fueron quemados cuando terminó la guerra de conquista y se inició la oprobiosa Colonia.

Sin embargo, un deseo distinto guiaba la gestión del nuevo obispo. Álvarez se preparó para algo diferente. Cuando el infortunio tocó a su puerta, dejándole huérfano a temprana edad, Álvarez fue recogido por su tío Antonio. Pasados los años, el tío Antonio lo envió hacia la Nueva España para que lo criara fray Payo Enríquez de Rivera, entonces arzobispo de México. A la par de fray Payo se hizo más aguda la necesidad que impulsaba al ahora obispo Álvarez hacia Chiapas.

Desde aquel recodo olvidado del vasto imperio, el obispo Álvarez buscaba sentar ejemplo de lo que debía ser la obra religiosa en el Nuevo Mundo. Los hombres fieles a la palabra de Dios y a la Iglesia Santa, Católica, Apostólica y Romana, debían retener el poder para exclusivo usufructo de la fe, que los fundaba y nutría, tras derrotar a los idólatras y a los paganos. El mismo poder que no supo retener Cortés por pelearse con Su Majestad. La conquista encontraba su impulso en la propagación de la Palabra del Señor, en la irrigación de la buena nueva a todos los confines del mundo para que triunfara sobre los impíos, los infieles y los herejes y se alcanzara la vida eterna.

Como la fe los guió hacia tan portentoso dominio, la fe debía gobernar lo que jamás hubiese sido posible sin ella. La fe debía ser, en este nuevo mundo, el exclusivo poder terrenal. Que todos se sometieran a la cruz y a quienes portaban la representación del poder divino en este valle de lágrimas. Bajo el imperio de la cruz, era la única manera en que se encontraría el orden anhelado, por el establecimiento de la ciudad de Dios en el mundo como preparación para el retorno del Mesías.

Esa era la idea que el obispo Álvarez propagaba. Su mentor y guía, fray Payo Enríquez de Rivera, cuando fue virrey y a la vez arzobispo de México, demostró que no había mejor gobierno que cuando se fundaban los poderes en uno solo y era el religioso el que predominaba sobre los demás. Una teocracia debería gobernar los asuntos del mundo.

Con ese alto y digno afán, el obispo Álvarez fundaba monasterios, ensanchaba conventos, edificaba hospitales, regalaba dinero a conventos de otras órdenes para que cubrieran sus necesidades y construía casas para encerrar a todas las frágiles damiselas que encontraban en su corazón la fe necesaria para entregar su vida al servicio de la obra divina. Para financiar sus obras de caridad dedicaba buena parte de sus esfuerzos al comercio de maíces (es decir, a exigir que los nativos le vendieran el maíz de tributo a cuatro reales, para luego venderlo en el mercado a doce, entregando los cuatro que le corresponden al Rey y quedándose con el resto que le agregó a su antojo, para beneficio de las obras del Señor). Como el Señor, el fraile Álvarez se valía de maneras misteriosas para ayudar a los necesitados, a los criollos y peninsulares necesitados.

7
Abandonar los pueblos

El canto del gallo a veces semeja una plegaria proferida por una persona desesperada. Despuntaba el alba. Los habitantes de los poblados estaban en movimiento desde la noche anterior. Las mujeres, a la orilla del comal, lanzaban las tortillas al barro acostado sobre el fuego preparando la comida a llevar. Pequeñas lunas, parecen; las mujeres y las tortillas, sobre el oscuro lecho, comal tiznado, de la noche. Tendrán que reanudar el peregrinaje de pena en pena. Les ha tocado cientos de veces. Mantenerse en movimiento sin echar raíces definitivas en la tierra. Para ellos, casa había una sola, la que se llevaba dentro del pecho, palpitando. Peregrinos de la muerte y el sueño, después de haber salido de Tula. Se levantaron con las luciérnagas. Echaban las tortillas para el camino incierto que se abría frente a ellos.

Las palmadas con que torteaban hacían eco, un batir próximo que retumbaba en la distancia. Los ranchos, techo de guano, horcones de caoba y piso de tierra apelmazada, estaban casi vacíos. Las cosas que antes estuvieron colgadas de pitas o puestas sobre tapescos de leños o tirados en alguna esquina, estaban ya dentro de los costales. Las cosas que se podían llevar. Sólo faltaban los comales. Los hombres tenían los bultos listos, como lágrimas contenidas, al borde de los ranchos, esperando la luz para dar el primer paso.

Se apagó el fuego. El silencio profundo del alba reinaba, asfixiante. De pronto, un rayo de luz. Los mayores se pusieron de pie y se encaramaron los costales al lomo. Los niños cargaron lo suyo. Las mujeres con su gallina bajo el brazo, bulto a la espalda y tinaja sobre la cabeza. La selva los absorbió como océano a buque que zarpa. Atrás quedaba lo que fueron. Nativos reducidos a un pueblo, a la encomienda, a la evangelización. Frente a ellos, la libertad de antaño, la que ellos no conocieron más que por las voces de los abuelos. Esas voces los guiaban lejos de este pueblo y sus miserias. Lejos del cura que cobraba la misa, y no la oficiaba. Lejos del Alcalde que mandaba e imponía los precios con que compraba los productos que le daban para luego vendérselos de vuelta a un precio crecido dos veces en el truco. Lejos de las plagas de chapulines que cayeron desde el cielo anunciando de nuevo el éxodo y la rebeldía.

Santa María Magdalena, Comoapa y San Juan Chichoacán ya no son poblados, aunque conserven su nombre. Eran los primeros en tomar tan drástica decisión. Sus habitantes han desaparecido en la maleza, internándose en la selva que cruzan los antiguos caminos que recorren los ancianos con su tenue figura de humo; sus voces se escuchan detrás de cada vuelta y el sonido de la pelota de hule golpeando la piedra.

Atrás quedaba el impuesto sin pagar y su vestimenta de prisioneros. Frente a ellos, la montaña, con sus dioses y templos sepultados bajo el fango. El tiempo de la guerra estaba cada vez más cerca.

8
Las intensiones de Ximénez

Sentado a su escritorio, dispuesto frente a la única ventana, mojaba el canutero en el pomo de tinta y escribía, de nuevo, la historia de aquel hombre que muere en una cruz. Ese acto repetitivo era una penitencia que se imponía a sí mismo. El fraile Francisco Ximénez llenaba los folios con las palabras de esperanza relatadas por los cuatro hombres con "cabeza de animal". Esas cuatro visiones autorizadas que transcribía y memorizaba para defender la fe, incrustada en la espada, en la hoguera, en el cadalso y no en la cruz. Una cruzada alcanzó aquellas tierras ignoradas, en donde quizás alguna vez se ubicaron los jardines del Paraíso y ahora con la colaboración de ellos quedaban las hogueras del Purgatorio. Ese pensamiento le causaba insomnio y congoja.

La Orden de los Dominicos lo atrajo porque buscaba encarnar aquel ejemplo de bondad y sacrificio por el prójimo, predicar entre los nativos, una de las tribus extraviadas de Israel. Se había dejado seducir por el poder de las palabras, por la debilidad que le causaba haber sido un desamparado durante su infancia. Distinto había sido verlo desde donde se hincaba a rezar de manera piadosa para expiar el sufrimiento ajeno, a colocarse detrás del altar actuado para quienes, movidos por la soberbia, creían que integraban el pueblo de Dios, mientras se rezaba en la lengua del Imperio de los Césares. Esa lengua que emplearon las tropas que condenaron a sus antepasados en el terruño donde nació: España, en el extremo del Viejo Mundo. Esa misma lengua en la que ahora rezaba por el alma de los que han sojuzgado en América, el nuevo extremo del mundo. Terminarán por imponer su lengua a los vencidos como antes lo hicieron los romanos con quienes habitaban la Iberia.

El fraile Ximénez cruzó el mar desconocido con el deseo de emplear esa lengua impuesta para predicar la buena nueva a los vencidos y decirles que no eran los únicos que sufrían por causa injusta, que su miseria tenía sentido porque apuntaba hacia la resurrección, que el imperio del maligno no sería eterno. Quería revertir el mal causado por los suyos. Pero otra cuestión además del deseo impulsó sus ansias de cruzar la mar océano. Buscaba anunciarles a los que gobernaban el Nuevo Mundo que serían destruidos también ellos por la maldad con que ejercían el poder que Dios les había conferido.

Por eso, el fraile Ximénez se hizo al océano. Navegó en una embarcación, recluido en un camarote minúsculo y húmedo, orando y prometiéndole al Señor que sería fiel a la promesa que le hizo. Sintió que surcaba las aguas profundas adentro de una cueva o un vientre. De noche, se despertaba sobresaltado porque soñaba que la armazón de madera respiraba y tenía cola. No. En su sueño, no se trataba de una ballena, pero se sentía próximo a Jonás, cuya historia interpretaba como una alegoría de lo que debía ser su misión.

Al pisar el continente en el puerto de Honduras, el fraile Ximénez tuvo la intención de decirles a los pobres nativos acerca de la división entre el evangelio que predicaban y la violencia con que gobernaban los reinos de este mundo. Con esa convicción bajó del barco. Aparte del enfrentamiento constante con los poderosos y tercos hacendados locales, hasta sostuvo audiencia con el virrey de la Nueva España, que le exhortó a seguir protegiendo a los súbditos de la Corona en contra de los abusos de sus propios servidores.

—¿Cómo puede Su Majestad dormir tranquilo si ni siquiera la gente que dice servirlo respeta las leyes?, le preguntó, consternado, el fraile Ximénez al Virrey.

Pero detrás del rostro benévolo del Virrey, descubrió la ponzoña del interés, el disfraz con que se reviste el poder para resistir el cansancio sórdido de la ambición.

— Predícales la palabra del Señor, Ximénez, pero no olvides de cumplir con requerir el tributo que sostiene la causa divina y tu propia empresa. Crees que la empresa colonial tiene dos lados: el poder de la Corona, el lado oscuro, y el poder de la iglesia, el lado bueno. Pero no olvides que para los nativos se trata de dos caras de una misma moneda.

Esa frase que le soltó el Virrey mientras él se retiraba, le afectó. Las rodillas del fraile Ximénez temblaron cuando la escuchó. Se indignó pero contuvo la ira, que guardó dentro de sí. Poco después le compartió a su superior, el obispo Payo Enríquez de Rivera, quien llegaría a ser virrey, que sospechaba que los intereses de la Corona sobre los nativos no eran nobles. Ximénez le dijo a Enríquez que temía que la Iglesia quisiera conservar a los nativos como súbditos del Rey, no debido a la convicción teológica de que tuvieran alma.

— No son sus almas sino sus tributos los que le interesaban a la Corona, señaló, ingenuo, genuino, el fraile Ximénez.

El obispo Enríquez lanzó una carcajada tan tremenda que hasta lágrimas rodaron por sus mejillas y luego de sonarse la nariz con un pañuelo, vio al fraile Ximénez con lástima. El pobre Ximénez, tan limitado, tan lleno de entusiasmo, estaba en el extremo opuesto de su pupilo, el ambicioso fraile Álvarez, quien tenía claro su deber en el mundo. Hacer lo necesario para instaurar la ciudad de Dios en esta tierra. Para lograr lo que se ambiciona, a veces se deben hacer cosas que otros pueden encontrar cuestionables, tan sólo porque ignoran el fin supremo que se persigue.

El obispo Enríquez no le dijo más al fraile Ximénez pero firmó la delegación que lo envío hasta la Capitanía General de Guatemala, esas tierras fronterizas con la selva, infestadas de nativos insumisos. No hay nada como la experiencia vivida para cambiar a un individuo soñador, que no entiende, o no quiere entender, la forma en que funciona el mundo. Los pensaba mansos y no pudo anticipar la reacción que tanto le impactó. Años después, escribiría sobre la rebelión de los nativos con los testimonios de primera mano, tras recorrer el territorio del alzamiento y observar los destrozos, las consecuencias, el grave saldo humano. ¡Sus apacibles criaturas! ¡Sus mansos nativos!

El obispo Enríquez mandó al fraile Ximénez a una parroquia ubicada en las márgenes del imperio, en un pequeño valle entre cerros y barrancos, rodeado de pueblos de indios. ¿Acaso no fue la justa recompensa por defender a los nativos, que lo mandaran a vivir entre ellos?

9
La resolución de Nicolás Vásquez

Nicolás Vásquez, noble del pueblo de Chilóm, nativo serio y buen cristiano, fue encarcelado sin motivo aparente por el obispo Álvarez. Cuando los justicias nativos (entre ellos, Sebastián de la Gloria y Juan García) buscaban al obispo Álvarez para reclamarle esa arbitrariedad, el Obispo acusaba al indio Vásquez de diferentes delitos. Algunas veces decía robo, otras rebeldía, otras no decía nada. El Obispo no les daba una explicación clara ni tenía por qué hacerlo. La autoridad imponía sus caprichos con todo el peso de la ley. Más que la aplicación de la justicia, en las colonias se acostumbraba al ejercicio arbitrario de la fuerza. Se trataba de un chantaje. Nada más. Los nativos sabían que no sería la balanza sino las monedas las que abriría las rejas. Los de abajo obedecen a los de arriba. Así funcionaban las cosas en esta parte del mundo.

Nicolás Vásquez pasaba los días descifrando las huellas del moho en los muros de la cárcel y las noches recordando las voces que le dejó el abuelo al morir. Nada tan humillante como caer preso. Adelgazaba. Cada día parecía más el pálido fantasma del hombre que fue cuando estaba en libertad. Nicolás era un hombre de respeto, atento a la tradición, temeroso de los dioses de los ancestros. En su sangre, circulaba el torrente de antiguos sacerdotes. En otros tiempos, hubiese oficiado los sacrificios sagrados o hubiese muerto en combate. Ahora, era el prisionero de un hombre sin escrúpulos, escudado en el orden que impusieron los conquistadores. De primero, los peninsulares, luego los criollos, después los mestizos y de último siempre los indios. Ese es el orden. Así son las cosas. Al que no le guste, que se aguante.

Nicolás Vásquez soñó que caminaba desnudo por la selva. Siguió las imprecisas huellas que un jaguar dejó en el fango. El olor a felino se le hizo cada vez más fuerte. La bestia andaba cerca. Detrás, escuchó que una rama se resquebrajaba y se volteó con cautela. Un incendio lo observaba desde el fondo de otra mirada. Antes de que saltara el felino sobre él, a Nicolás lo invadió un hondo sentimiento de paz. El espíritu del jaguar habitaba en él. Él era el jaguar.

Esa mañana, Nicolás Vásquez cambió su pequeña fortuna por la libertad. Le pagó al obispo Álvarez la suma que dispuso por una falta inexistente. Poco le importó. Total, sólo se trataba de monedas. Ahora sabía que la libertad tiene precio; con frecuencia, un precio alto, un precio que no siempre se quiere pagar.

10
El fraile diligente

Manuel Marcial, un padre con ansias de llegar a obispo lo más pronto posible, recorría la provincia tratando de recoger donaciones para el obispo Álvarez. Buscaba congraciarse con Álvarez, protegido de Enríquez, el arzobispo de México. El padre Marcial recorría los poblados después que fueran azotados por la plaga de langostas, después que el Alcalde Mayor cobró los impuestos, después de los comerciantes de maíces y después del Obispo mismo. Los pobladores de Yajalón habían quedado devastados de recursos; sólo les faltaba tributar su vida, ofrendarla si es que aún tenía valor. Aunque los justicias indios le intentaron explicar su delicada situación, el joven fraile Marcial no entendía razón alguna. Quería cobrar, punto. Que los nativos juntaran el dinero, que vieran ellos cómo. Total, eran indios y tenían que obedecer.

Además, al fraile Marcial no se le quitaba de la cabeza la encarnizada sospecha de que los nativos lo engañaban con tal de no cumplir con sus obligaciones religiosas. Era su práctica habitual. ¡Mentirosos! ¡Indios embusteros! No podía esperar una actitud distinta de quienes por naturaleza son así, escurridizos, mentirosos y malagradecidos, pensaba.

Como los pobladores de Yajalón no entendían razones, el fraile Marcial recurrió a la fuerza. En Chilóm, un poblado cercano, se hizo del apoyo de algunos ladinos, a quienes les pagaría con una parte del dinero recaudado entre los nativos. Regresó a Yajalón acompañado por unos mestizos fornidos y malencarados; hombres de temer, acostumbrados a matar por necesidad o placer. Con ese apoyo se atrevió a exigirles a los nativos, a demandarles que cumplieran. Después del silencio que produjo su actitud altanera, un grito, *atizar el fuego*, surgió de una garganta desesperada ubicada en algún lugar de la multitud:

— ¡Qué muera el padre hijueputa!

La comitiva fue copada por la multitud enardecida. Cuando intentaron reaccionar, la mayoría de los ladinos ya había sido lazados; los dos que se quedaron en las afueras del poblado al cuidado de las bestias, se dieron a la fuga. De todos los rincones del pueblo, brotaban nativos enfurecidos, reclamando justicia o por lo menos venganza. Los mestizos fueron degollados. Nadie sabía quién los había matado, pero ya estaban muertos y la mayoría celebraba. Se las debían. Con el fraile Marcial, las cosas eran distintas. Todavía no les debía sangre alguna, pero de que era cómplice, lo era. Había que reprenderlo, para que enmendara su camino, o matarlo, si ya no tenía compostura. No sabían aún qué hacer con él.

Un par de gritos bastaron para encausar el tumulto hacia la plaza. La ira de los nativos se desbordó: lo escupían, les daban puñetazos o patadas. A los mestizos muertos los arrastraban como si fueran fardos o muñecos de Judas, de esos que hacían para la Semana Sagrada. Una cabeza se desprendió del cuello cercenado y rodó por la calle. La violencia les provocaba risa a los indios. Después de golpear al fraile o de patear la cabeza desprendida, se carcajeaban. Aquello parecía un convite improvisado.

Por unos segundos, el fraile Marcial se sintió como los discípulos de los tiempos de las catacumbas: injuriado por la multitud, a punto de ser lapidado. Sin embargo, no fue tal su suerte. Aunque a los mestizos les prendieron fuego, a él tan sólo lo ataron a un madero mientras los nativos discutían su suerte. Mientras lo escupían y lo golpeaban, algunos abogaban por chicotearlo; otros, por degollarlo.

Marcos Rafael, uno de los instigadores, levantó el machete sobre el fraile. Una y otra vez, lo amenazaba con el filo lodoso mientras la multitud se carcajeaba señalando al fraile Marcial, quien, con el pantalón orinado y cagado, sollozaba. Más que hombre, parecía un espanta pájaros estremecido por el viento. Atado al madero, temblaba.

Los ladinos que se fugaron de la turba enfurecida alcanzaron el poblado de Chilóm, de donde partieron. Iban al mandado y no al retozo. Nomás llegando, formaron un grupo de hombres armados de espadas y arcabuces. Debían sofocar la rebeldía de los nativos con violencia, eficiente y pronta. Como no entendían con razones, había que someterlos por la fuerza. De lo contrario, la situación se les escaparía de las manos. Era su deber. De la violencia con la que actuaran, pensaban, dependía el orden y la paz social de la región. Ni modo que cruzarse de brazos y esperar que las cosas se arreglaran solas.

Un grupo de criollos y ladinos galoparon hacia Yajalón. Llegaron mientras los nativos aún discutían acerca del destino de su prisionero. De lo contrario, tan sólo hubieran encontrado el cuerpo inerte del fraile y un palmo de tierra oscurecida. Más valía tarde que nunca y aún estaban a tiempo.

En el centro del poblado, hallaron al fraile, amarrado a un palo, con la cara hinchada de tanto porrazo, cagado del susto. La multitud se dispersó al tropel de los caballos. Los recién llegados recorrieron el poblado entrando en las casas, buscando sospechosos y, por supuesto, dinero. La noche se pobló de antorchas y espadas. En la madrugada, se escuchó un martilleo y el cantar de los gallos. Al amanecer, los gachupines y mestizos ahorcaron en la plaza al indio Marcos Rafael, atizador de la multitud, para que aprendieran los demás nativos a no soliviantarse, a estarse tranquilos, como Dios manda, machete en su vaina. Muerto el chucho, se acababa la rabia. Llamarada de tuzas había sido aquello. Puro susto nomás.

Marcos Rafael pagó caro por atreverse a amenazar al fraile Marcial. Fue ahorcado como escarmiento para otros que quisieran atreverse. Luego, recogido el tributo y consumada la venganza, los criollos y ladinos se retiraron de aquel pueblo de nativos, sacudiéndose el polvo de las botas.

Sin embargo, el fraile Marcial se llevó una pesadilla.

—Los nativos están por bajar de los cerros, amotinados, sedientos de venganza, furiosos e incontenibles— decía, en Ciudad Real, cuando contaba lo sucedido durante su gira. Era su cantaleta inconfundible, pura alharaca. Siempre lo repetía, a quien tuviera la mala fortuna de concederle oídos. Muchos lo desestimaban con un alzar de hombros: ¿acaso no bajaban los indios de los cerros todos los días para ofrecer sus servicios, sus productos?

Tan pronto los gachupines y los mestizos abandonaron Yajalón, los justicias nativos descolgaron el cuerpo de quien en vida fuera Marcos Rafael y lo sepultaron en lo profundo de una pinada, como en los tiempos antiguos, con el ceremonial reservado para los guerreros que mueren en combate.

Juan García (también llamado Jacinto Balam) aprendió algunas lecciones de todo aquello. No se actúa en capricho ni en soledad. No se levanta el machete en vano. Si va a correr sangre, que corra pronto y parejo. Después de todo, la sangre alimenta la tierra, la sagrada madre tierra.

11
Un hombre de los dioses

Al aire libre, corría a la velocidad que le permitía el transformarse en venado. Intentaba que la pesada red de memoria que andaba a cuestas quedara atrapada en los bejucos. Pero siempre regresaba con ella a su madriguera, ubicada dentro de un viejo roble, que lo abrigaba del viento y de la lluvia. El ermitaño aún recordaba la voz de su madre, reverberando a través de las paredes de la placenta, esa otra cueva. Llevaba consigo el sonido del llanto de esa mujer, la calidez y, luego, el frío que dejaban sus lágrimas al caer y rodar en el vientre que lo abrigó. Ella vivió en una aldea, a la que añoró volver por esa convivencia colectiva fundada en el miedo a lo desconocido. Se lo dijo entre sollozos. Su madre fue expulsada del poblado por quedar embarazada, condenada a internarse en el laberinto que tejen los ríos, barrancas y montañas.

Un criollo, anónimo, preñó a su madre. La corrió montado a caballo; para huir, se internó en el monte. El criollo le dio alcance, la golpeó, la tumbó. La penetró a la fuerza, entre unas matas de albahaca. La joven se desgañitó pidiendo una ayuda que jamás llegó. Dos días más tarde, la encontraron unos nativos que salieron a cazar. La llevaron con los suyos, que decidieron expulsarla.

Anduvo por la selva sin rumbo ni destino. Halló piedra sobre piedra y, detrás de los helechos, máscaras con expresiones abominables. Altos muros. Escalinatas. Cerros hechos por las manos de los ancestros, que se empinaban sobre las últimas copas de los árboles, en cuya cima se veía el sol agonizante desparramando su sangre en el horizonte, se escuchaba la música de las estrellas y bajaba la luna hecha una joven desnuda o una anciana envuelta en harapos.

La madre del ermitaño aprendió a escuchar los pasos perdidos en la cercanía, el susurro de las palabras antiguas, las imágenes que con la bruma se hacían espesas. Fueron el coyote, el venado y el jaguar los que cuidaron sus pasos. Los saraguates le llevaban agua desde el río y las nauyacas acarreaban frutas desde los árboles cercanos. Cuando llegaba la noche, la lechuza la protegía con su canto, que también le anunciaba la súbita llegada de la luna: Ixchel o Ixmucané. La preñada habitó esa extraña ciudad abandonada. Parió a su hijo en la pirámide más alta, sobre el altar de los sacrificios. La mujer vertió ahí su sangre y trastocó el símbolo de las máscaras. Desde su abertura corporal surgía la vida, y no un corazón palpitante. Tersas manos morenas, ojos abiertos de la lechuza, el viento meciendo las copas de los árboles.

La luna, anciana, cortó el cordón con una piedra de jade dentada. Puso al bebé en brazos de la mujer que agonizaba luego de haberlo gestado. La madre lo acercó a su boca con gran esfuerzo y sonrió. El recién nacido escuchó el último suspiro que emitió su madre, que murió tragándose las palabras que quiso decirle para que lo acompañaran por el mundo. Ixmucané, la lunanciana, tomó al recién nacido y bajó los doscientos ochenta peldaños de la pirámide. Corrió por el bosque, aullando. Las alas de los murciélagos, que seguían la carrera, batían cerca de sus rostros.

— Tengo que llegar — repetía la lunanciana.

El corazón de la anciana se fue apagando, pues amanecía. El tupido bosque de caobas cedió ante el lago de los mil colores del invierno y la primavera. Cantó el centzontle. Mariposas surcaron el vacío. Estaba por despuntar el alba. Lo dejó caer en el agua en donde se reflejaba la luna. Mientras se hundía, el niño vio una figura decrépita que se desvanecía con los primeros rayos del sol. El recién nacido sacó la cabeza del agua y emitió un quejido. Escuchó pasos sobre las hojas caídas.

Creció en una cueva, como si no hubiese nacido nunca al mundo, oculto en ese útero vegetal. Cobijado en el viejo roble, recordaba el rostro que vio entre las sombras, la anciana que corría por el bosque. Cuando tenía frío y no lo acompañaban las ardillas o los coyotes, el ermitaño se cubría con una frazada que le dejó uno de los peregrinos que llegaban a verlo. Otros, le llevaban comida sin saber que los pizotes se encargaban de traerle las hierbas que le gustaban. Las personas tocaban, con timidez, la pequeña puerta por la cual se entraba al interior del tronco y le extendían los trastos con comida. La ermita tenía ofrendas, candelas y sahumerios. Se había convertido en centro de romería.

La existencia del ermitaño, nacido de la Laguna del Tigre, era un milagro. Los peregrinos, seres abominables y caritativos, terribles y piadosos, crueles y amables, depositaban su confianza en él, que poco sabía de las cosas del mundo, más de lo que escuchó cuando todavía estaba en el vientre, más de lo que veía cuando se asoma a los poblados de noche. Estaba atrapado en las palabras del profeta. Su madre lo engendró sobre el altar de los sacrificios, dándole vida en el lugar de la muerte. La muerte de una vida que empezó de esa manera tenía un significado, que él ignoraba pero que ellos intuían.

El ermitaño era más que un pobre pecador, como ellos decían para designar que nada eran más que polvo que el viento acumuló, atole de maíz y palabras conjuradas por Ixmucané. El ermitaño les decía que los nativos se habían hecho daño entre sí, que quisieron darse muerte mutuamente, que la desearon, la conjuraron, la trajeron sobre sus propios descendientes; que se despedazaban entre sí cuando llegaron los de ultramar para tomar partido y se robaron, de paso, la victoria.

Todo triunfo era también una derrota. Los humillados se quedaron con la rabia debajo de la piel, con ganas de pelar los dientes y rugir a quien se acercara y de nuevo desollar por cualquier motivo. Un sordo deseo de encontrar la muerte en el rostro ajeno para verla lo más cerca que fuera posible, para adivinar su paso veloz por los cuerpos que se helaban con la mirada perdida, con los párpados sin caer. Al ermitaño le dolía ver hacia el interior del corazón de los hombres y presenciar toda esa rabia acumulada. Esas palabras que lo visitaban, mil aguijones que se prendían a su piel como zancudos gigantes o dientes de coral.

De cuando en cuando, abandonaba la ermita, su cobijo. Pero nunca lo hacía de día para que la hondura de la noche cubriera su espectro, para que las tinieblas se tragaran su sombra, para que no fuera posible ver su rostro acongojado de andar por el mundo como una herida que no sana cuando se asomaba a beber agua de la laguna que lo parió. El ermitaño sufría. La tristeza recorría un cauce profundo pues se sabía condenado absurdamente a la muerte. Se lo advirtieron los sueños: su muerte engendraría una rebeldía.

Aullaban los coyotes, rugían los jaguares, silbaban las nauyacas. Los arroyos se lamentaban. Los rostros se endurecían y alguien anunciaba que las ruedas habían girado: los símbolos eran de sangre y valentía. El próximo signo era de incertidumbre. El fuego se atizaba.

Un grupo de criollos y mestizos llegaron a apresarle. Lo acusaban de hereje, por ser un profeta de los dioses de los ancestros. Lo culpaban de sedicioso, por establecer una ermita que se había convertido en el centro de las peregrinaciones de los nativos.

—Este no es camino ni mucho menos forma de amar a Dios. Lo único que usted logrará es alborotar a los pueblos y dar el mal ejemplo a los nativos, le dijeron las autoridades.

Después de sacarlo a jalones de la ermita, su ermita, tumbaron el viejo roble. Cientos de los nativos que lo visitaban, se enfurecieron. ¿Acaso ellos trataban así a quienes fungen como sus hombres sagrados? ¿Acaso ellos llegan así a sacar a los curas de las iglesias, para luego derrumbarlas?

Las autoridades se llevaron al ermitaño a Chamula. Una muchedumbre de indios silenciosos los siguió hasta allá.

Ocultándose en la noche, cientos de nativos llegaban con devoción a donde estuvo la ermita. Observaban: el roble era ceniza. Se entristecieron. Hablaron. Juan García (llamado Jacinto Balam) aprovechó para quejarse, para protestar, para sugerir. Atizar el fuego. Los que escucharon sus palabras, consintieron. De los rescoldos del madero, surgía otro fuego, pálido fuego, en los corazones de los ofendidos.

Al día siguiente, las autoridades mandaron al profeta hacia el castillo del Golfo, en el confín de la tierra, para separarlo de sus hermanos, para arrancarlo de su tierra, su sagrada madre tierra.

El sacrificio del ermitaño, consentían ahora los nativos, era el anuncio de un nuevo tiempo por venir. Fue arrancado de la ermita, del útero en donde vivía, hacia la muerte. La muerte violenta de un hombre sagrado engendraba la vida de una mujer sagrada.

12
Velasco enamorado

Un criollo con pretensiones de grandeza, con frecuencia encontraba irresistible a una peninsular que estaba tan sólo de visita. Quizás en aquel enamoramiento residía también un sentimiento distinto, de carácter político, inconsciente. En el anhelo de una relación con las hijas de la madre patria talvez se manifestaba un deseo incestuoso, reprimido pero estimulado, que expresaba el afán de las colonias por lograr, simbólicamente, la aceptación de la Península.

Clemente Velasco, quien gozaba de encomiendas y ambicionaba un puesto en la administración regional, se enamoró de Gabriela Alvarado, una joven española de paso hacia Santiago de los Caballeros. La joven demoraba su estadía en Ciudad Real, visitando a su tía, doña Lucía Alvarado de Asturias, intentado distraer el sufrimiento por el repentino fallecimiento de su padre, acontecido en la Nueva España.

Clemente vio por vez primera a Gabriela en la casa de los Asturias y, desde ese encuentro, acarició el deseo de conocerla, en todo los sentidos de la palabra. La muchacha le parecía de una ternura y una sofisticación abrumadora. Era tan distante de las otras jóvenes (sencillas, un poco torpes, limitadas) de provincia. Aunque Gabriela era tomada como una muchacha común y corriente en España, en la Nueva España se convertía en el ejemplo mismo de la elegancia.

Ninguno parecía cobrar conciencia de lo que implicaba aquel apetito irracional por una muchacha peninsular que visitara la Colonia. Lo que hiciera se tomaba como extraordinario. Ella misma poseía una significación digna de meditar, de contemplar con admiración, que la colocaba por encima incluso de las muchachas más bellas de la región.

Luego del encuentro en la casa de los Asturias, Clemente y Gabriela se vieron dos veces más en la misa dominical. En ambas ocasiones, intercambiaron miradas y ella le sonrió con timidez y ternura. Era casi una niña. No tenía ni los quince años, pero estaba consciente del efecto que causaba entre los hombres. Recordándola con intensidad y deseo, Clemente, quien le dobla la edad, la ha dibujado con un carboncillo de perfil y de cuerpo entero. Gabriela despertó su instinto, que ha aplacado con más necesidad que placer con las nativas que sirven en su encomienda. Nativas bajas y regordetas que ni por asomo se parecen a la dulce y esbelta Gabriela.

Sin embargo, Clemente corteja a Gabriela en vano. El obispo Álvarez, su confesor, le aconseja a la muchacha guardar un luto riguroso en honor a su difunto padre y la invita a ingresar en uno de los conventos que sostiene con el comercio de maíces. La joven Gabriela, ingenua, duda entre la pasión que le provocan las miradas de Clemente y la devota entrega a una vida enclaustrada. En una oportunidad, Gabriela le confesó al Obispo las sensaciones corporales que le ocasionaba la proximidad de Clemente, la hoguera simbólica que convocaba en el monte de Venus. Gabriela pensaba, según lo confesó, que su pretendiente podría aplacar aquel pálido fuego que abrazaba su vértice.

El obispo Álvarez le insistió a la joven Gabriela, a veces detrás de la celosía del confesionario y otras de frente, que la pasión que sentía por Clemente Velasco era la mismísima labor del demonio, una provocación, una grave tentación para que ella cediera y perdiera su alma. Velasco, le recordaba Álvarez, no era más que un hombre profano, entregado a los asuntos terrenales, alejado de las obligaciones sagradas. Según las enseñanzas del obispo Álvarez, el deseo incandescente que experimentaba el cuerpo de la joven Gabriela debía aplacarse sólo por un hombre de Dios para evitar el pecado mundano y la condenación eterna. Sí, un hombre de Dios tenía la obligación moral, el deber sagrado, de aliviar la ansiedad que producía en el cuerpo de las hembras aquella herida siempre húmeda y abierta.

Cuando Clemente Velasco se entera, por medio de rumores, de la penitencia impuesta por el obispo Álvarez a los pecados confesos de la joven Gabriela, se enfurece. El obispo Álvarez, adivinó el pretendiente, no sólo bloquea su legítima aspiración a contraer nupcias, además esconde otra intención bajo la sotana. La está reservando para sí, como ha sucedido con otras muchachas a quienes indoctrina en la entrega de su cuerpo para expiar los pecados que cometen de pensamiento, obra u omisión. Se trata de un secreto a voces. Si el río truena es porque piedras lleva.

Clemente Velasco se queja del pérfido obispo Álvarez con el duque Linares, virrey de la Nueva España, como se ha quejado de los excesos que comete Martín González, el recién nombrado alcalde mayor (los cuales son tan ciertos como la envidia que lo corroe porque un advenedizo fuera nombrado para el puesto que él, Clemente Velasco, codiciaba).

Señales

1
Nacimientos

Una cueva oscura y recóndita se adentraba en la montaña. Era húmeda y las paredes estaban recubiertas de plantas, musgos y líquenes. Predominaba el olor a albahaca y a toronjil. Después de la novena curva, se abría un espacio, una especie de bóveda, en la que había una hoguera encendida y una anciana de piel gastada por el sol, las miserias y los inviernos. Apenas se cubría con pieles de animales muertos; una cabeza inerme de venado colgaba a la par de la suya, como si el animal estuviese aún vivo, fuese manso y durmiese una siesta. Entre la maraña de cabellos blancos, se advertían plumas de cuervo, quetzal o codorniz; también pequeñas conchas de mar, flores marchitas y hojas de hiervabuena y milenrama. La anciana susurraba como coyote adolorido mientras batía con un palo, que antes fue raíz, un líquido espeso dentro de una tinaja de barro colocada sobre el fuego. Desde las tinieblas, emergía una voz lenta, soterrada pero melodiosa:

— Emerjo del agua espesa como baba, sangre o atole de maíz blanco y amarillo. Me siento nueva, recién parida, recién conjurada. No sé de hace un momento, entre tinieblas y sauces. Me sé joven como nunca lo he sido y el líquido que cubre mi piel desnuda, la eriza y la estimula. Me da miedo abrir los párpados, no sé si encontraré un jardín cuya salida y expulsión está en mi vientre o una senda que se eleva en la distancia pero que cae abruptamente. Susurro, como el viento, los ríos o las olas. Como la cabellera o el aire golpeando mi rostro cuando cabalgo por los campos. Tampoco me preguntes qué hago. No sé mi nombre y aún no me sirve tener uno que me distinga y me marque. Quisiera cantar como el guardabarranca o la lechuza y que mi canto partiera la noche o resguardara el misterio; alzar vuelo confundiéndome con la oscuridad de esta inmensa olla invertida. Pero siento que me parto, me desgarro, me atolondro, me rasgo, me empino y me abismo. Surge en mí el monte que llevará quizá ese antiguo nombre que alguna vez fue mío, pero que ahora es de los días y de los enamorados.

Las nubes que surcan la noche oscura como bestias hambrientas se hacían una sola con el humo que salía de la cueva. Afuera llovía. La vieja removía el líquido de la tinaja de barro; sus manos cada vez más tensas; sus movimientos cada vez más lentos; su gesto cada vez más agotado. De cuando en cuando escupía el líquido que apenas se veía debajo del vapor. Su cabeza se inclinaba hacia abajo y su espalda se doblaba, como si cargara un peso superior a sus fuerzas. El pelo se le enmarañaba y cubría su rostro. Gemía, roncaba, como una voz que brotara de la tierra. Mecía sus brazos, trazando círculos inmensos. Pujaba mientras levantaba el rostro y clavaba su mirada hacia las alturas. Convulsionaba, pero no dejaba de menear el brebaje. Gimoteaba desconsoladamente, cada vez más quedo, hasta callar. La voz de las tinieblas se hacía un tanto más fuerte. Pronunciaba las primeras palabras en el silencio que dejaba la respiración agitada de la anciana. Era un sonido gutural que decía:

— Con tan sólo mantener los ojos cerrados anida la noche dentro de mí; la contengo, la protejo de los devastadores rayos de sol que la penetran y la disuelven. Sin embargo, temerosa u osada, valiente o cobarde, tímida o curiosa, algo me impulsa a provocar esta pequeña alba que es mi potestad si tan sólo corro el telón que posa sobre mis pupilas y dejo que entren la luz con sus dagas y los colores con sus sonidos a pastar de nuevo dentro de mí, territorio en donde se baten los albores y los celajes. Aún no me decido si permito que eso que me rodea se abisme en mis adentros, cayendo como un ángel expulsado de los cielos, inundándome como un alud, haciéndome sentir embriagada de imágenes que quizá no existían antes de que yo les diera contorno y cabida y que no tienen más lugar que el océano inacabable, el bosque enmarañado, las cumbres nebulosas que se arrastran en mis entrañas, cual pedazos de mí. Sólo que esta vez he aprendido algo: no quiero castigo ni condena ni nombre ni muerte.

Al pronunciar la última palabra, la anciana soltó un lento pero sostenido grito que desafinaba en llanto, roto por un gimoteo que se descomponía en risas. Sus brazos se prendían al palo con que revolvía el contenido de la olla; sus ojos desorbitados, su respiración fatigada. Su espalda se doblaba cada vez más. Su respiración se calma pero aún solloza. El líquido de la olla principió a burbujear. Fijó la mirada en la entrada de la cueva en donde aparecían venados, jaguares y pájaros de plumas oscuras; estos se pasearon dentro de la cueva, danzando alrededor del fuego. La anciana decía:

—De nuevo, te he conjurado juventud, tiempo de tempestad y candor. Cierra tus ojos, mantenlos así nomás que no me molesta. No los abras todavía, mantén la ilusión de que estás naciendo como delgado rayo de luz que asesina la noche. Esta olla de barro, esta escudilla gigante, es útero y vagina. Yo, vieja, débil y decrépita, ya sin luz, que te conjura y desea, que te llama con ansia y agonía, no soy tu madre aunque tú te empeñes así en creerlo para que no sea tan dura la primera impresión que te lleves cuando abras los ojos y te veas en los míos que, coincidencia, no serán más de ninguna pues serán de ambas. Será un instante, fugaz y doloroso, partero y partiente, en que tú y yo seremos dos cosas ajenas. Luego, este cuerpo que usurpo se irá diluyendo como una sombra al alba y no me importará más. Seré nomás un punto negro en las tinieblas, royendo olvido como si fuese ropa con remiendos lanzada a un rincón, confundiéndome con las sombras. Joven, nueva, te ordeno que emerjas de la mezcla que he preparado para parirte, del líquido que he batido con la poca energía que me resta, que salga tu forma del humo que se levanta desde la superficie del brebaje que hiervo en la olla de barro. De humo a cuerpo, de muerte a vida, de recién nacida a recuperada. Niña que dejas de serlo al serme. Vaya, aquí vamos de nuevo.

La anciana soltó el palo con que había batido el brebaje. Se puso de pie y con torpeza brincó alrededor de la olla, danzando. La rodeaban serpientes y lagartijas. El vapor del brebaje llenó la cueva. La voz de las tinieblas fue clara:

— Inaudita y ciega. Así quisiera pasar este tiempo. ¿En qué sustancia me engendro: semen, moco cervical o brebaje? No lo sabré pero llamaré a esta leche "olvido" porque en ella quedan sumergidas las imágenes que acarreo de vida en muerte, de esa muerte a esta vida, de la tarde en que fui apedreada a orillas de la ciudad o de los años en que anduve en una carreta viajando por los poblados del desierto o de la expresión de ira de aquel hombre que siendo mi esposo le anuncié que pronto sería madre sin que me hubiese poseído. Sumergidas como piedras quedan, las imágenes, a mis pies. Que se acerquen los pescadores, los niños que van a bañarse a los ríos, las mujeres que lanzan sus penas corriente abajo, a ver, asomadas sobre el agua que fluye, que mantengan su vista fija en el fondo, que verán las vidas que llevo a cuestas ancladas en la arena del fondo, esperando mi regreso al torrente. Abrir los ojos... y olvidar. Dejar que el río se lleve lo que llevo de vida en muerte y de muerte en vida. Qué más me queda.

Un cuerpo cubierto por un velo negro apareció desde las tinieblas. Los animales se quedaron inmóviles. Esta sombra se paseó por la cueva, como si la reconociera, a la vez que gravitaba alrededor de la anciana, trazando círculos grandes y descuidados. El vapor se fue haciendo espeso. La vieja que apenas daba unos cuantos saltos, cada vez más esporádicos, decía:

—Tu cabello es ahora negro, me digo al decirte, joven que aceleras mi pulso porque deseo poseerte íntimamente como no te poseerá jamás hombre alguno. Te beberé entera y me penetraras hasta llegar a la sangre. Y tu piel morena, del color de la olla de barro que te engendra sobre el fuego, luna roja que encienden mis manos temblorosas al llegar la obscena noche en que aúllo y canto. Ábrelos, qué más te da, y déjame penetrarte con lo que llevo de esta vida y sumarlo a lo que se lleva de las dos el torrente. Puedo rescatarlo si me dan las alas para sobrevolar el cauce, siempre que haya noche, manto tendido para que pueda acostarme desnuda en sus tinieblas, para que pueda irradiar la luz que me nutre y complace.

El cuerpo cubierto con el velo negro desapareció de nuevo entre las tinieblas, mientras la anciana hablaba. Los animales se desplazaron lentamente alrededor del fuego. La vieja asomó su rostro al brebaje que hervía y lo observó maravillada. Del vapor emergió una mujer desnuda, esbelta, voluptuosa. Salió de la olla y se paseó por la cueva, esta vez con pasos seguros, trazando su propio camino, danzando con las serpientes que ahora se movían de manera enérgica y alegre. Con tono sensual, que, en vez de enfrentar, invitaba:

—La cueva, como siempre. El humo que turbia mi vista, desfigurando los contornos de lo inmediato. Ese rostro de cuero antiguo. Los ojos acuosos, como incrustados en el fango del inicio que ven casi ocultos tras la maraña de cabellos blancos. Esa sonrisa que aparece, una más dentro de las arrugas. Labios que ya no son. Y surcos, líneas del tiempo que traspasan su faz. No puede ser que sea la que es y todavía tenga la fuerza de conjurarme desde el abismo profundo de los océanos. Y la noche. ¿Cómo lo haces, anciana, para que tus palabras todavía encuentren el camino? Eres astuta y querendona, he de reconocerlo. Me veo al verte y sé lo que sigue. No tendrás que decir nada. Corre por mis venas y haz vibrar mi piel, como si estuviese a punto de cambiarla. Bésame, vieja, que tu saliva me nutra y me constituya. Te deseo en mí. Bébeme.

La anciana se irguió y acercó su rostro al de la joven. De súbito, interrumpió su movimiento y pronunció, en tono llano:

— No tan rápido que aún no estoy lista. Debo decirte, antes que nos consumamos en el abrazo que da vida y muerte a la vez, que *ellos* andan de nuevo por ahí. Tendrás que recorrer los senderos que parten de la entrada de la cueva, buscándolos. Yo no tendré fuerzas para dar los pasos, deberás guiarme. Llévame contigo en esa búsqueda. Sé que esta vez nos fundiremos como lo hemos anhelado otras veces sin lograrlo. Recorre el barro con tus pies que lo son también. Y maíz esta vez, amarillo y blanco para que tengas la luz del día y de la noche en tus entrañas y puedas caminar por doquier. Recorre el barro con tus pies, pero cuida de no dejar huellas. Andan por ahí, cerca. Búscalos. Búscanos. En ellos está nuestro futuro. Que tus labios besen los míos, que tus brazos me estrechen y se acabe todo esto. Con pasión, recién parida, como si fuese la última vez.

— No te preocupes, anciana. Eres ya en mí.

Los cuerpos se aproximaron. Venados, jaguares, pájaros, lagartijas y serpientes las rodeaban; sus movimientos fueron cada vez más lentos. Los labios se besaron. Se fundieron en un abrazo que se fue perdiendo en la bruma de la noche, de la cueva.

2
La anunciación de la peregrina

Se abría camino entre las hojas caídas bajo la sombra de enormes caobos. Una selva ancestral, por donde soplaba el viento, voz que revelaba las enseñanzas de la tierra a quienes tuvieran el corazón dispuesto para entenderlas. De lejos, la seguía un coyote; por el aire, dos cuervos y un tucán. Al llegar la noche, se detuvo a la orilla de un pueblo. Buscó entre las matas de hierba y encontró albahaca. Arrancó unas hojas, las desparramó por el suelo en forma de círculo y tendió su cuerpo desnudo y voluptuoso sobre la hierba.

— He vuelto, susurró.

Cuando ella cerró sus ojos en las afueras del pueblo, la joven Juana de Montejo abrió los suyos, saliendo del sueño que soñaba, en una de las pequeñas chozas de aquel poblado. Juana se despertó con la convicción de compartir el mensaje que acababa de recibir. Vio una pequeña cruz dentro de una gruta. El símbolo del dios de los cielos dentro del símbolo de la diosa madre de la tierra. Recorrió, desnuda, una por una las casas de Santa Marta Teultepec, diciendo, en su idioma natal:

— He recibido un mensaje. Llegará una peregrina hermosa en busca de cobijo. Debemos prepararnos para recibirla. Debemos construirle una casa en las afueras del poblado. Es tan sólo un espíritu mensajero. Pronto habitará entre nosotros la diosa madre de la tierra.

Al escuchar el rumor de lo que anunciaba la joven Juana de Montejo, el fraile Manuel Marcial se espantó. Otra nativa esparciendo rumores, chismes, maledicencias, entregándose a la promiscuidad y hablando acerca de las señales que anunciaban las antiguas profecías. Marcial había recibido informes que por Totolapa, San Andrés y Chenaló andaba un grupo de nativos que anunciaban cosas similares. Se decían predicadores de las antiguas enseñanzas. "Herejes", pensó, "idólatras". Debían expiar sus pecados ardiendo en las hogueras. Sin titubear, le solicitó al alcalde mayor, Martín González, que le enviara refuerzos armados.

Al día siguiente, mientras Pedro Montejo y su esposa cortaban hojas de palma para el techo de la casa que edificarían para la peregrina, fueron apresados por un pequeño contingente de criollos y mestizos armados. Los Montejo agotaron las calles de Santa Marta Teultepec recibiendo latigazos. En la plaza, las autoridades criollas leyeron la sentencia frente a los pobladores nativos. Los Montejo fueron enviados hacia el castillo del Golfo, en donde murieron de paludismo.

3
La fortuna de Zavaleta

La denuncia interpuesta ante el virrey de Nueva España por Clemente Velasco en contra de Martín González, alcalde mayor de Chiapas y favorito del gobernador de Guatemala, surtió efecto. El alcalde González fue suspendido del cargo mientras se realizaba la investigación pertinente. Sin embargo, al contrario de lo que esperaba Clemente Velasco, el Virrey actuó con extrema cautela. Designó a un funcionario menor, Pedro de Zavaleta, para que sustituyera al alcalde de forma interina hasta que se emitiera el fallo definitivo. Si algo había aprendido el Virrey era que la administración de las colonias se asemejaba a una continua danza en la cuerda floja.

Zavaleta, cuando leyó el edicto que lo confirmaba al puesto que codiciaba, decidió aprovechar al máximo la oportunidad que se le presentaba. Su suerte no duraría mucho tiempo, pues fue designado al cargo mientras se calmaban las aguas y le concedían a Velasco un lugar en la administración. No tenía ningún familiar en la península, en la Nueva España ni en ningún otro lado que respaldara su nombramiento. No podía agarrarse de un tío distante que estuviera al servicio de la Corona o de la Iglesia, quien interpusiera sus buenos oficios por él. No tenía a nadie que le hablara al oído a ninguna autoridad para facilitar su ascenso o impedir su cesantía. En esa compleja maraña de maledicencias y tretas que era la administración imperial, él estaba solo. Por eso fue escogido, como un hombre fuerte, local, sin ataduras de ningún tipo, capaz de impedir que la situación empeorara, a quien se reemplazaría en cualquier momento, sin quejas ni secuelas.

Zavaleta emprendió una gira por los poblados de nativos más cercanos y les cayó con nuevas exacciones que él mismo se inventaba. Sus colaboradores, un grupo de hombres recios y malencarados, eran inflexibles. Exigían cuotas especiales por anotar como exentos de tributación a los nativos que legalmente, por edad y sexo, no tenían obligación alguna de tributar. De cuando en cuando, se detenía para disfrutar, a las buenas o a las malas, de las muchachas indias.

El alcalde interino, daba rienda suelta a su voracidad. Nadie, jamás, le recompensaría si se portaba austero. Lo que era más, si lo hiciera, no cesarían de mofarse de él. Dentro de la burocracia, no tiene perdón quien teniendo la opción, la desaprovecha.

4
La ermita de Tzonatzín

Los nativos establecieron una ermita en las afueras del poblado de Cancuc, luego de que la diosa madre de la tierra se le apareciera a la hermosa María de la Cruz en ese lugar. La diosa madre de la tierra le encomendó a María de la Cruz, la joven nativa más bella de la región, una misión sagrada: el restablecimiento de su sacerdocio. De nacer en los tiempos antiguos, María hubiese sido una princesa. Las facciones de su rostro la asemejaban a Ixchel, diosa de la vida y de la muerte. Su cuerpo era perfecto y parecía dotado de un apetito voraz por el placer. La misión que le encomendaban no se trataba de una labor ligera sino que de un mandato divino. El sacerdocio de la madre tierra implicaba entregarse con devoción, con sublime gozo, al arte amatorio con los devotos. Tal era el dulce llamado, la entrega mística.

Dentro de la ermita, símbolo de la diosa madre de la tierra, se erigió una cruz, símbolo del dios-hombre. Un símbolo contenido dentro del otro, reducido, derrotado.

La revelación de la voluntad divina se unió al sacrificio del ermitaño, el mandato que recibió Jacinto Balam durante el último de los días enmascarados, a las voces que acechan a Sebastián de la Gloria, las sucesivas apariciones de la diosa en los poblados cercanos y la cruz labrada que bajó milagrosamente del cielo. Los símbolos coinciden con las ruedas que marcaban el ciclo de los astros. Había llegado el momento de reclamar los cielos que pertenecían a los dioses de los ancestros, el espacio que usurparon los conquistadores en esta tierra. Ha vuelto el dominio de la diosa madre de la tierra, que alimenta durante la vida, que abriga cuando llega la muerte.

Los caciques principales, los nobles de los cabildos nativos, realizaron una ceremonia a la antigua usanza. Se internaron en el bosque. Encendieron el fuego sagrado. Entonaron los cantos de los ancestros. Invocaron a los dioses de los ancestros. Se desnudaron y llevaron a cabo el sacro ritual. Se entregaron al disfrute de las jóvenes sacerdotisas de la diosa madre de la tierra.

Durante la ceremonia, nombraron a Nicolás Vásquez como capitán general, a Jacinto Balam (llamado Juan García) como rey y a María de la Cruz como emisaria de la divinidad. Además escogieron y nombraron a doce mayordomos, que velarían por la integridad de los símbolos, que se esparcirían a los confines para compartir su testimonio y diseminar el mensaje divino. Decretaron el inicio de las celebraciones que prepararían el regreso definitivo de los dioses de los ancestros y los reglamentos para los devotos. Establecido lo anterior, prosiguieron la ceremonia sagrada, la comunión dilatada y vertiginosa de los cuerpos en un sólo espíritu.

Los nativos se preparaban para la buena batalla. Las huestes de Santiago los despojaron de la tierra, los dioses y la paz. Ya no lo soportaban. No les quedaba más que la guerra y estaba bien que así fuera.

5
La gira del obispo Álvarez

Cansado de la parsimonia en la que vivía en Ciudad Real, el obispo Álvarez anunció una gira por los territorios bajo su dominio. El fraile Manuel Marcial, encargado de recorrer los pueblos de indios, giró las instrucciones de su superior a los funcionarios menores. Advirtió que esperaba que le tuvieran listos los fondos de la renta y los derechos de visita.

Sin embargo, el padre Marcos Lambur se opuso a la medida, que juzgó descabellada. Discutió con Marcial, quien se portó soberbio, así que optó por escribir sus objeciones y enviárselas al obispo Álvarez. En la misiva argumentaba que los recursos de los nativos estaban agotados. Recordó las plagas de chapulines que acabaron con las cosechas el año anterior, la forma en que el alcalde Martín González se excedió en la recolección de los tributos, la codicia del alcalde interino Pedro de Zabaleta al imponer tributos inexistentes, la escasa lluvia del invierno que no permitió la segunda cosecha de maíz del año; incluso se atrevió a mencionar el comercio de maíces que realizó el Obispo mismo y otros comerciantes criollos de Ciudad Real en detrimento de la economía de los nativos.

Más preocupado por los suyos que en defensa de los indios, el fraile Lambur agregó:

— El ánimo de los nativos es preocupante. Frecuentan excesivamente una ermita en donde ahora fincan su fe. Temo que pronto bajarán de los cerros.

El obispo Álvarez leyó aquella relación sin inmutarse. Qué le importaba toda aquella alharaca. Anunció que visitaría los poblados y así se haría. Mientras tanto, le encomendó al fraile Marcial que ideara un plan para contrarrestar los ánimos de los nativos.

6
Ceremoniales nocturnos

Cientos de nativos llegaban a la ermita de Cancuc procedentes de los poblados aledaños y los que habían sido abandonados, como Santa María Magdalena, Comoapa y San Juan Chichoacán. Cobijados por la noche, llegaban excitados, buscando compartir con las jóvenes sacerdotisas, exaltados, para sumarse a la insumisión. Introducir las cruces que cargaban dentro de las ermitas que brindaban consuelo y alivio, parte del ceremonial a la diosa madre de la tierra. Los mayordomos, encargados de la seguridad de los principales, registraban a los recién llegados con cautela. Resguardaban, los mayordomos, el orden divino.

Luego, dejaban que los recién llegados pasaran a la ermita para que el rey de los nativos, Jacinto Balam, espadín y lanza en mano, les compartiera las enseñanzas y revelaciones divinas. Adentro encontraban a un nativo joven sentado en un trono improvisado, rodeado de varios jóvenes y algunos ancianos, apenas iluminados por unas cuantas velas. Para empezar la ceremonia, Balam se ponía de pie, tomaba una antorcha y encendía una hoguera ubicada al centro del escenario. A toda aquella muchedumbre congregada, Balam les hablaba de los ancestros, de los tiempos antiguos y de la guerra que se avecinaba para reestablecer el orden violentado. La entonación con que enunciaba el discurso parecía un canto, cadencioso y rítmico. Repetía algunas palabras, con insistencia, cambiando la modulación, provocando un efecto hipnótico. En el fondo, se escuchaba un batir de tambores.

Balam caminaba por el escenario y los arengaba en nombre de Tzonatzín. Al concluir, exhortaba a quienes sentían el llamado para ofrendar su vida a los dioses de los ancestros a que se levantaran del suelo en donde se habían sentado y se congregaran al frente. De los cientos de nativos presentes, decenas se ponían de pie y se acercaban a Balam. Pocos, pero suficientes. Jóvenes, voluntariosos, decididos y fuertes. Balam levantaba sus manos, las colocaba sobre sus cabezas y les pedía que repitieran con él un himno en alabanza a los dioses ancestrales.

Al resto, hombres mayores, ancianos, los dividía en grupos, a los que repartía instrucciones dependiendo la función que cumplirían. Despachaba, por puñados, grupos de nativos para que convocaran a los pueblos vecinos. Que diseminaran el llamado. Que regresaran con sus hermanos, con los más jóvenes de sus poblados.

A quienes habían sentido el llamado de los dioses de los ancestros Balam les permitía que se quedaran unas horas más. Después de que el resto abandonaba el recinto, Balam les concedía a los jóvenes elegidos, oficiar la ceremonia tradicional. Entonces, el sonido de los tambores arreciaba. La entrada de las bellas sacerdotisas de la diosa madre de la tierra se tornaba apoteósica. Danzaban por el lugar, hasta detenerse donde les apetecía. Comenzaba aquello que se cubre con un silencio devoto.

Al alba, concluidos los ritos, se les ponía bajo las órdenes de los mayordomos, pues serían adiestrados en las sagradas maniobras de guerra. Cada quien según su nahual, así se dividían los comandos. Los tigres, sigilosos, se adentraban en la selva para practicar el zarpazo repentino. Las serpientes se arrastraban por la maleza, preparando su fatal mordida. Los jabalíes trotaban juntos por los caminos. Los halcones volaban con sus flechas. Así cada cual acorde a su naturaleza: tigres, venados, nauyacas, jabalíes, armadillos, liebres, monos, halcones, y los búhos que cantaban al llegar la muerte.

7
Los falsos profetas

Una pareja de indios ancianos recorrían los poblados proclamando que la ermita no producía milagros y que frecuentarla era una herejía. Además, decían haber visto un cristo nativo, un cristo de piel morena como la de ellos. Temían que los nativos se alejaran del culto al hombre crucificado y se entregaran a la veneración de la diosa madre de la tierra. Predicaban salmos antiguos, aprendidos de los curas. De pueblo en pueblo, recitaban frases que parecían extraídas del Evangelio. Así lo hicieron durante un par de meses, congregando a los nativos en la plaza, difundiendo el mensaje en su propia lengua, protegidos por los hombres armados de Zavaleta.

Para los mayordomos nativos, la pareja de indios ancianos representaba una amenaza a la rebelión que se gestaba en las sombras, que se configuraba en los silencios compartidos. Ese par de viejos se vendió al enemigo y había que castigarlos.

Cuando la pareja de ancianos que se prestaron al juego del fraile Marcial volvieron a su pequeña choza, los mayordomos los llegaron a buscar. De nada sirvieron los ruegos de los traidores, sus peticiones de misericordia, sus lágrimas y el temblor incesante de sus piernas. Para qué darle más vueltas al asunto.

—Eso debieron haberlo pensado antes de actuar de común acuerdo con el enemigo— sentenciaron los nativos alzados.

Empalaron a la pareja de indios ancianos en una encrucijada de caminos y los dejaron ahí como advertencia para los que quisieran pasarse al lado enemigo, para que se arrepintieran aquellos nativos que hubieran servido de espías, de ojos y oídos a los criollos.

8
Monja del deseo

El día que la joven Gabriela Alvarado ingresó al convento de monjas de Ciudad Real, Clemente Velasco le declaró la guerra al obispo Álvarez. Cuando estaba a punto de pedir la mano de Gabriela, el Obispo se la robó bajo sus narices, induciéndola a una vida de entrega al señor (Obispo, susurraban algunos). Decía alejarla del pecado, de los peligros de la vida mundana, pero el convento formaba parte del mundo y también ahí se pecaba.

Velasco, los Asturias y algunos otros criollos dudaron de la honorabilidad del obispo Álvarez, quien, sospechaban, no tardaría en seducir a la joven monja. Se le notaba en la mirada, en la manera en que curvaba los labios cuando la veía, en el bulto que surgía de la sotana cuando la joven Gabriela andaba cerca. Aquella afrenta resultaba insoportable. Tendrían que hacer algo para oponerse a los designios del perverso Obispo.

Un suceso, acontecido esa misma noche, postergó sus planes. Martín González, el alcalde suspendido de sus funciones, murió de causa desconocida, a las tres de la madrugada, sin que se resolviera la investigación en su contra. Clemente Velasco, enardecido por los hechos, sintiéndose doblemente traicionado, mandó a Zavaleta a que cometiera una última humillación: que engrilletara el cadáver de González por los bienes que le debía. Velasco embargó el cuerpo inerte, pues no podía hacerlo con las propiedades, de las que carecía el difunto. Velasco y los Asturias intrigaban para que ningún criollo rindiera condolencias al execrable funcionario, un don nadie lanzado con honda hasta aquellas tierras, un simple buscador de fortuna que había gozado de suerte. Además, le enviaron al virrey Linares un mensaje acerca de aquellos terribles hechos sucedidos en provincia.

Durante setenta y tres horas, Martín González yació insepulto. El obispo Álvarez, quien hasta entonces contó con el apoyo de González, ofició una misa por el descanso de su alma y para enterrar el cuerpo que se descomponía aceleradamente. Nadie más que los sirvientes del difunto y los del Obispo, acudieron a la celebración de las exequias funerarias de quien fuera alcalde mayor de Chiapas. Al concluir con las ceremonias, el obispo Álvarez envió un mensaje al gobernador de Guatemala, informándole de lo sucedido.

El gobernador Toribio de Cosío al recibir la noticia, se comunicó de inmediato con el virrey de la Nueva España, quien no le respondió. El virrey Linares se encontraba aún molesto por la decisión que el gobernador Cosío tomó al nombrar a una persona desconocida para esa delicada misión. No ignoraba el tipo de arreglo que implicaba la delegación de un don nadie a un puesto como aquel. No había nacido ayer. Conocía al dedillo cómo funcionaba el enredo de puestos de control y concesiones.

El gobernador Cosío sospechaba que la muerte de González significaba el final del usufructo que gozaba por el puesto de alcalde mayor de Chiapas. El plan en Chiapas no sólo había terminado, sino que lo había enemistado con el virrey Linares. ¡Vaya fracaso!

El virrey Linares contestó la nota del alcalde interino de Chiapas, intentando deliberadamente impedir que fuera el gobernador Cosío quien designara al sucesor. Ordenó que Fernando del Monje reemplazara a González.

Además, mandaba a que se aseguraran y embargaran los bienes del difunto, la elaboración de un detallado inventario y la revisión minuciosa de los libros que llevaba para controlar la tributación y poner al día los pagos pendientes a la Corona y conocer quienes aún le adeudaban. En el último párrafo, ordenaba que en caso que los bienes encontrados no alcanzaren para saldar la deuda con el fisco, fueran los fiadores quienes cubrieran el débito.

Al final de sus pesquisas, Fernando del Monje y sus auxiliares declararon un faltante de diez mil pesos; suma que debía ser cubierta, debido a la insuficiencia de los registros tributarios, por los fiadores, entre los que se encontraban Velasco, los Asturias y un buen número de los criollos prominentes de Ciudad Real, quienes establecieron esa relación con el difunto alcalde González cuando recién alcanzaba el puesto. El obispo Álvarez se alegró de la desdicha de los criollos, sus opositores.

Sin embargo, como era costumbre, Monje se puso de acuerdo con Velasco, los Asturias y los demás criollos para pasarle el peso de la deuda a los indios. Aunque los nativos argumentaran haber cancelado ya esos montos, los criollos les enseñarían los libros para demostrarles que oficialmente no lo habían hecho y que, por lo tanto, estaban obligados a hacerlo.

Al enterarse del plan de los criollos, el obispo Álvarez abandonó Ciudad Real, antes de lo previsto. Le convenía hacerlo. No sólo se les adelantaría a los criollos en las rondas de cobro sino que se libraría momentáneamente de ellos y sus lenguas viperinas. Atrás dejaba a Gabriela, la nueva monja, en ansiosa espera de recibir la bendición inaugural.

9
El llamado a la guerra

Dos nativos llegaron jadeantes y urgentes a la ermita de Cancuc con las noticias de lo que sucedía en Ciudad Real. Uno fue sirviente del obispo Álvarez y el otro de Clemente Velasco. Los sirvientes de los bandos encontrados, contaron lo que vieron y escucharon en las casas de sus amos, en los corrillos de la ciudad de los criollos. Los nativos principales consumieron el grave significado de esas palabras providenciales. Los dioses de los ancestros les ofrecían señales, manifestando su poder al fraccionar a los gachupines.

Como perros en celo, los criollos se peleaban entre sí. Se encontraban divididos y enfrentados. El poder que ostentaban se debilitaba. Los principales nativos tenían que acabar con los fraudes que generaban el cobro de tributos, la venta y compra forzada de mercancías, el dominio de los creyentes en el dios falso, la esclavitud a la cual fueron sometidos.

—El tiempo de la guerra es ahora, resolvieron.

Desde el fondo de la tierra surgió un rugido aterrador. Eran los espíritus de los ancestros, que los llamaba a empuñar las armas y bajar de los cerros.

10
Celada

La tropa se ocultó en los caminos por donde baja la lluvia, a la espera que pasara el obispo Álvarez por el sendero gastado en medio de los cerros. Los nativos envueltos en la niebla, guardaban el huracán en sus pechos, el fuego en sus manos y una furia certera en la mirada. Le tendieron una emboscada entre los poblados de Teopisca y Comitán. Se trataba de actuar, atizar el fuego. Machetes, lanzas y piedras esperaban los pasos que no llegaban.

Sin saber de la que se libraba, el obispo Álvarez pasó un día antes por el lugar en donde le tendieron la fallida celada. Al enterarse lo cerca que estuvo de la muerte, huyó despavorido más allá de los confines de la alcaldía mayor de Chiapas. El miedo lo hizo refugiarse en Chiantla, poblado en la jurisdicción de la alcaldía mayor de Huehuetenango.

Cortar la cabeza del Obispo y empalar su cuerpo decapitado no marcaría el inicio de la rebelión, tal y como lo deseó Jacinto Balam. Sin embargo, el no consumar el sacrificio propiciatorio no impediría la oscura danza de los puñales de obsidiana. La ira cobraba su cauce.

El río hace tronar las piedras que arrastra.

11
Nuevos comienzos

Todo estaba en suspenso, en calma, en silencio. El folio estaba en blanco, la pluma tendida a la par del pomo de tinta. Maitines, en la hora benedictina, que el fraile Ximénez aprovechaba para trazar, sobre folios de papel, invento chino, caracteres que heredó de los romanos, luego de que variaran el alfabeto griego que obtuvieron de los fenicios, reminiscencias de la escritura simbólica de los egipcios.

El fraile Ximénez escribía otra versión de la creación del mundo, distinta a la que hasta entonces copiaba con hastío. Escribir, esa silenciosa plegaria. Creaba (años después, registraría la destrucción). Esta nueva versión le permitía emplear a fondo su imaginación y cuestionar desde su base misma la unicidad del creador. Plasmar una versión sin hombre, sino animales, pájaros, peces, cangrejos, bosques, cuevas, cenzontles, hierbas y el cielo, el corazón del cielo.

El fraile Ximénez fue enviado a San Pablo de Rabinal, un hermoso paraje perdido entre los cerros, un valle a la sombra de los naranjos, como un castigo por defender el principio que no regía los actos de la iglesia: el amor hacia el prójimo, sin distinción, con misericordia y compasión. A la larga, sería el fraile Ximénez quien castigara a los que alababan al dios que castiga y odia.

Durante esas lentas horas de atardeceres fulgurantes, el fraile Ximénez se preguntaba: ¿Cómo culpar a esos seres por no aceptar ese conjunto de pantomimas que ponemos en escena, como si fuese una función de teatro o de circo? ¿Cómo culparlos de desconocer a Cristo, si su historia aconteció en una tierra lejana y ajena a la de ellos?

Por esos cuestionamientos, el fraile Ximénez fue enviado a una lejana parroquia que, sin embargo, él encontró agradable. Un poco más al norte de ésta, en Ciudad Real, sirvió el fraile Bartolomé de las Casas, a quien admiraba. Más le hubiese gustado ser enviado ahí; pero mandaron a Juan Álvarez, quien tuvo que abandonar la Nueva España por un rumor que sacudió a la jerarquía del lugar. Se decía que Álvarez sostenía un tórrido romance, contra natura, con Payo Enríquez. Para distanciarlos y acallar las sospechas, nombraron a Álvarez obispo de Ciudad Real. Con ese costo, el fraile Ximénez prefería nunca llegar a obispo. Prefería conservarse al margen, pero mantenerse enterado. Esa condición de lejanía crítica le permitía escribir…

No se manifestaba nada sobre la tierra. Sólo el agua como un espejo de la sustancia con que está hecho el firmamento. Olas y vientos reflejándose mutuamente. Vacío y silencio. Profundidades y tinieblas, las luces y sus reveses: las sombras, hondas y hoscas.

Sólo los progenitores, inmóviles, flotaban como el reflejo de las estrellas sobre la inhabitada corriente, flujo que acarreaba otras imágenes y otros dioses. Palpitaban como un inmenso corazón que bombea luz y sombra, claridad y tinieblas. Tepeu se acercó a Gucumatz o Gucumatz se acercó a Tepeu o el fluir del agua los acercó a ambos sin que ninguno tuviese el propósito de acercarse al otro.

Llegó entonces la palabra, oculta, indescifrable, enigmática, que empezó la conversación. Se consultaron. Juntaron su pensamiento y sus palabras, las frases que forman y que nombran. Nacieron los árboles. Habló Caculhá Huracán con Chipi Caculhá con Raxa Caculha que siendo tres son uno y siendo uno son tres. Les dio miedo el abismo y decidieron poblarlo. Lo llenaron con tierra. Entre la niebla, surgieron las montañas, los valles y los ríos. La claridad del primer día...

El fraile Ximénez abandonó la pluma. Alguien llamaba desesperadamente a la puerta de su parroquia de San Pablo de Rabinal. Le traían un grave anuncio: el fin de los tiempos iniciaba en las cercanías de Ciudad Real. Los nativos se habían sublevado. De un momento a otro, bajarían de los cerros en contra de sus opresores.

Cuando los indios bajaron de los cerros

1

Durante las primeras horas de la madrugada, los nativos alzados se esparcieron como llamaradas por el territorio que gobernaron sus ancestros y que desde la conquista usurpaba una plaga de extranjeros. Con los primeros rayos del alba, bajaron de las montañas como el cauce desbordado de un río crecido, un torrente que inunda las praderas.

Fue entonces el trote de los guerreros jaguar venado. Entre los maizales se erguían lanzas toscamente labradas, flechas con punta de obsidiana, los evidentes filos de los machetes y miles de piedras empuñadas.

Nadie los veía aún, cobijados por su naturaleza, sus animales protectores, pero algunos intuían su presencia.

El viento en la copa de los árboles llevaba un mensaje.

2

Los nativos irrumpieron en las silenciosas calles de Simojovel, entre la niebla y el día naciente, mientras la mayoría de sus pobladores asistían a la primera misa del día. Entraron a la iglesia lanzando alaridos, con los machetes alzados y las lanzas de punta. Las bancas de madera aullaron cuando los criollos las corrieron, con desesperación e incertidumbre, intentando protegerse de la turba de nativos enardecidos. El llanto de las mujeres escalaba hacia el cielo raso de la iglesia pintado con cal. En la mitad de la nave, se formó un vacío, seguido de un silencio. En la entrada, tenuemente alumbrados por las llamas de las candelas y la luz del amanecer, los nativos alzados chocaron y debatieron con los nativos del poblado.

Una nativa del lugar, sumisa y resignada, imploró en su lengua mientas se abrazaba, con desesperación, del cuello de uno de los rebeldes:

— Nunca triunfaremos.

Otra más imploraba de rodillas:

— Los criollos nos matarán.

Algunas ancianas argumentaban entre lágrimas:

— Nos azotarán. Nos degollarán. Acabaremos torturados y muertos. De nada servirá esta ira.

Sin embargo, Nicolás Vásquez, capitán general

de los rebeldes, lanzó una carcajada que terminó en un lúgubre silencio que se esparció por la iglesia. A empujones, Vásquez se abrió paso hasta el medio del vacío. Buscó con una mirada torva al sacerdote, arrodillado tras el altar, rezando. Vásquez alzó el machete y lo señaló, amenazante. Vásquez avanzó hacia el sacerdote mientras le preguntaba:

— ¿Dónde está tu dios ahora, hijueputa?

La túnica blanca se tiñó de marrón. La cabeza del fraile rodó hacia atrás, cayendo entre los pies de las mujeres criollas que reventaban en gritos y sofocos. Los ojos del decapitado parpadeaban mientras el cuerpo se sacudía como un fantoche en la feria del pueblo. Una horda de nativos se desplazó hacia el fondo de la iglesia mientras los nativos del lugar huían despavoridos al refugio de las montañas. Adentro, decenas de brazos criollos se alzaban tan sólo para caer partidos por el filo certero de los machetes de los indios. La sangre criolla se escurría por el suelo como la cera derretida de las veladoras. Caían los santos decapitados al igual que sus devotos.

3

El ladrido incesante de los perros en la madruga alertó a los criollos de Chilóm, quienes se dieron cuenta de lo que sucedía y organizaron su resistencia. Juntaron treinta escopetas y se posicionaron sobre el techo de paja de la iglesia. Cuando la oscurana fue aclarando, vieron a cientos de nativos emerger de las cañas de maíz recién dobladas a las orillas del pueblo. La franja de lodo que se abría paso entre las chozas hasta llegar a la iglesia se fue inundando de lanzas, machetes y piedras.

Los criollos de Chilóm abrieron fuego cerrando los ojos, apretando las mandíbulas y aflojando los esfínteres. A cada descarga, imploraban clemencia de un cielo gris que parecía sordo e inconmovible. Los nativos se acercaron lo suficiente como para hacer llover piedras. Los disparos y los muertos avivaban la hoguera de la ira. Por cada diez nativos caídos, treinta reclamaban el lugar. Pronto, aparte de piedras, también lanzaron fuego. Un incendio cundió por el techo de paja de la iglesia y los criollos tuvieron que desplazarse aceleradamente hacia los muros del cementerio, lo cual era un mal presagio.

Durante la fuga, los gachupines perdieron

la coordinación que exigía resistir en desventaja el embiste de los indios. Fueron rodeados hábilmente por un tropel de lanzas nativas. El sonido incesante de las flechas que surcaban el aire desencadenó en los estertores de muerte que lanzaban los criollos heridos revolcándose entre la hierba y el lodo que cubría las tumbas. Los disparos se hicieron escasos en la medida en que la pólvora se agotaba, como el tiempo de vida de cada uno. Dos tipos de alaridos poblaron el silencio: los de angustia y los de algarabía, confundiéndose en una sola voz distorsionada y malévola.

Algunos criollos, los menos, no esperaron la última de las municiones y emprendieron una carrera desesperada hacia el otro lado del muro. Para aferrarse a la vida, intentaban cruzar el cementerio. Tan sólo unos cuantos, lo lograron. Treparon el muro y brincaron, sin querer voltear la vista. La mayoría fue alcanzada en plena huida por las lanzas, las piedras, las garras de los alzados. Caían entre las cruces y las lápidas, heridos o muertos. Ni en las pesadillas más atroces que sufrieron en vida pudieron haber intuido la forma repugnante de sus muertes. Yacientes, los remataban. Algunos fueron mutilados, despellejados, desmembrados.

Los muros se erizaron de las cabezas de los criollos vencidos. Pocas conservaban los ojos; ninguna la lengua.

4

El aviso de un furtivo cazador de tapires alarmó a los criollos de Ocosingo. En la hora más honda de la madrugada, a la luz de las antorchas, protegidos por pequeños grupos de centinelas apostados en las márgenes del poblado, los criollos debatían acerca de su destino. El fijar su atención en el escandaloso pasado del cazador, plagado de historias de borracheras y deudas, definió su suerte. No lo tomaron en serio. El alzamiento de los nativos no era más que un rumor, los nervios traicionados de un ebrio ganoso de llamar la atención. "Sin embargo", se dijeron, "no hay que creer ni dejar de creer".

Los criollos de Ocosingo tomaron la peor de las decisiones posibles en una situación de guerra. Los hombres abandonaron el poblado dejando tras de sí a los ancianos, niños y mujeres. Sólo el cura Marcos Lambur se quedó. "Los nativos jamás se atreverán a tocarlas", argumentaron para apaciguar las dudas que los acechaban mientras se internaban en la oscuridad de los caminos, alejándose de sus hogares, buscando el resguardo de los cerros.

Con el alba, llegaron los nativos alzados al poblado, pero encontraron únicamente a las criollas. La ira de los indios, creyeron los criollos, no era contra las mujeres. A diferencia de los criollos o mestizos, los indios no las ultrajaron al verlas desprotegidas. Tan sólo las interrogaron y las golpearon. Poca cosa. Ni siquiera tocaron a las niñas. Aconsejadas por el fraile, las mujeres indicaron una ruta falsa. La mitad de la tropa nativa se encausó en una persecución que engendraría la venganza. Luego de lo que habían padecido, no había peor ofensa que la mentira. Al filo del mediodía, regresaron con las manos vacías. Sus miradas enfurecidas lo decían todo. Cobrarían la afrenta de la misma manera como habían sido tratados tantas veces.

Decenas de niños criollos fueron empalados uno tras otro frente a sus madres, que tan pronto se desmayaban como recuperaban la razón para perderla de nuevo. Las gargantas de las mujeres se desgarraban en aullidos inútiles. Algunas se arrancaron los ojos y los oídos. Otras se tiraron de cabeza entre las piedras. Interrumpidamente, las azotaban hasta que dejaban de estremecerse, hasta que quedaban inertes.

Los nativos dejaron con vida al fraile Lambur, que no salía de su estupor, inmóvil y temeroso. Se lo llevarían como trofeo, como rehén. Saquearon las casas, las haciendas, los trapiches y la iglesia antes de incendiarlas.

En la distancia, los criollos descifraron el error que cometieron en la densa nube de humo que se alzaba hacia el infinito. Bajaron de los cerros corriendo, tan sólo para encontrar los restos de la matanza, a sus mujeres en lágrimas. Agraviados, juraron venganza en contra de la venganza de la que acababan de ser objetos. De esta manera, la violencia se multiplicaba, como sucedía en estas tierras desde la conquista.

La sangre a la sangre llama.

5

Cuando bajaron de los cerros, los indios tomaron por sorpresa varios pueblos. Nadie los esperaba. Si debían ser sumisos y obedientes. Si debían aceptar su condición de pobreza y servidumbre. Nadie pensaba que los indios fueran capaces de responder los abusos a los que se les sometía y mucho menos con violencia. Entre los pueblos que los nativos alzados capturaron sin dificultad, el horizonte se plagó de horcas y picotas y la tierra se nutrió de la oscura sangre derramada. Cuando los criollos y ladinos no eran degollados, empalados o descuartizados por la muchedumbre enfurecida, los nativos colgaban a los fiscales criollos que se habían excedido en el cobro de los impuestos, a los nativos que sirvieron de espías a los criollos, los nativos ricos que hambrearon a los suyos y a los criollos y mestizos que alguna vez actuaron de una manera cruel contra cualquier indio.

Los nativos ejercían la violencia con algarabía, con rabia convertida en festejo. Los alzados deambularon por las calles borrachos de ira, con los machetes teñidos de bermejo y los ojos perdidos en los abismos de la locura que producía la venganza ejecutada, que confundían con justicia. Saquearon las iglesias y las alcaldías; quemaron los libros de las cofradías y de los registros de nacimientos y defunciones; rigurosamente confiscaron el dinero que encontraban para establecer el fisco de la ermita, hasta asesinaron a uno de los propios cuando intentó quedarse con un crucifijo de oro y unas cuantas monedas de plata.

Un sonido de tambores invadió los poblados, esparciéndose por las veredas de lodo que dividían las agrupaciones de casas de adobe. Los rebeldes celebraban su triunfo danzando en las plazas recuperadas. Corrieron la chicha, el boj y la cuxa. Los cuerpos se contagiaron de un ritmo distinto. Gritos salían de las gargantas y se alzaban los brazos, sin razón alguna. Las sonrisas desdibujaban el rostro endurecido por el asalto de la muerte.

6

En Cancuc, Jacinto Balam se mostraba insatisfecho. Sucedían cosas que no había previsto. Reflexionaba. Los eventos no tomaban el cauce que hubiese preferido. Los mayordomos le traían informes de los demás poblados. La violencia que imaginó en las horas antes del alba era distinta a la que se ejerció. Era una sombra que se perseguía y cuando se estaba cerca de alcanzarla, se volvía para devorarlo. El campo de batalla y la reacción del enemigo deformaron el plan que diseñó. Sólo en su cabeza, quedaba la gloria inmediata, inmaculada.

Lo distrajo el alboroto que se armó cuando entró a la ermita el fraile Marcos Lambur, hecho prisionero en Ocosingo. Sebastián de la Gloria enfrentó al fraile Lambur de inmediato. El fraile Lambur comprendió que moriría pronto y se resignó. Mientras Sebastián de la Gloria se exaltaba, Lambur se fue apaciguando. Nicolás Vásquez interrumpió el vano enfrentamiento.

Vásquez condujo al fraile Lambur fuera de la ermita. Sus pasos lo llevaban hacia el lugar al que se accede desde cualquier punto y momento, pero que sólo uno de ellos traspasaría entonces. En un poco de grama en medio del lodazal, el fraile Lambur se arrodilló y se puso a rezar. Vásquez le dio una escopeta a Juan López, su escolta. Guiñando un ojo, temblándole las piernas y las manos, Juan López apretó el gatillo. La detonación de la escopeta los ensordeció. El fraile siguió rezando, distante, ajeno a lo que sucedía a su alrededor. El disparo provocó ladrido de perros y el alarido de algún gallo.

Vásquez le arrebató la escopeta a López. Levantó los brazos, contuvo la respiración y disparó. El pecho de Lambur se abrió como una flor repentina. Manaba la sangre, exhalaba el espíritu. Aún así, Nicolás Vásquez, capitán general de los rebeldes, gastó más pólvora en el religioso. Ordenó que se deshicieran del muerto. Le amarraron el pie con una soga y lo jalaron por el lodo con un burro.

En un barranco cercano, el cadáver del fraile Lambur se apiló junto al resto.

7

Una comitiva de nativos se presentó en Chilóm, pueblo ocupado por los alzados. Llegaban en nombre del gobernador de Guatemala, José Toribio de Cosío y del virrey de la Nueva España, el duque de Linares. Llevaban el mandato de negociar la rendición de los nativos insumisos. Hacer un pacto y establecer las paces. Una mujer les habló.

Nicolás Vásquez, capitán general de los rebeldes, escuchó y recordó la historia que le contara su abuelo acerca de la mujer que los traicionó en el inicio del ciclo del desastre. Las cosas se repetían. Desde esas palabras tejidas en su memoria, surgió la intransigencia actual. Cuando Vásquez hizo la seña acordada, los mayordomos capturaron a la comitiva.

Afuera, bajo un tibio sol a media mañana, a la mirada distante de los cerros, los nativos que llevaron el mensaje de los criollos murieron atrapados en un torbellino de piedras, lanzas, machetazos y carcajadas.

8

Con la noticia de la rebelión de los zendales, el duque Linares, virrey de la Nueva España, se exasperó. Desde que firmó la orden de cancelación de la deuda que dejara el difunto alcalde Martín González temía que algo así ocurriese en esa alejada provincia. El Virrey sospechó que ocurriría una desgracia de esa magnitud. No era de esperarse que los suyos asumieran otra actitud más que volcarse con doble saña sobre los pobres indios, de dónde sino de los nativos sacarían el dinero que no estaban dispuesto a pagar. Se maldijo a sí mismo por dejar que el arzobispo de Nueva España y el gobernador de Guatemala nombran autoridades sin su consentimiento. Aunque nunca lo confesara, el virrey Linares permitió que la situación se le escapara de las manos.

Él sabía que los nativos tenían razón, mas nunca se las concedería. Sería aceptar que el sistema que él personificaba se fundamentaba en la injusticia. Aunque los suyos se hubieran excedido en el cobro de los tributos, no era a ellos a quienes debía reprender, sino a los sublevados. Así de simple. Debía sofocar la rebelión de una manera contundente. Reducirlos. Establecer un castigo ejemplar, para que los nativos aprendieran que nada lograban con alzarse, aunque sus motivaciones fueran justas. Había un ordenamiento que respetar, so pena de muerte.

Para retornar al orden natural de las cosas, delegó en Pedro Juan Gutiérrez, su jefe personal de seguridad, la pacificación de la región, nombrándolo alcalde mayor de Chiapas en sustitución de Fernando del Monje, quien quedaba de segundo al mando. El virrey Linares trazó el plan de campaña que Gutiérrez, Monje y el gobernador Cosío debían ejecutar, con amplio y hábil despliegue de la caballería, tropas y armamento.

El plan de batalla se trataba de algo simple. Dejarían caer sobre los alzados todo el peso del conocimiento bélico del imperio. Los nativos no tenían experiencia militar ni capacidad de resistir un embate planificado. No contaban con el armamento ni el entrenamiento necesario para que sus harapientas tropas funcionaran como un ejército disciplinado. El virrey Linares les demostraría con lujo de fuerza, que la rebelión, cualquier rebelión, estaba condenada al fracaso. Que les quedara claro: los machetes y las piedras eran poca cosa contra los arcabuces.

La rebeldía implica una quimera: la libertad, esa vana y pretenciosa ilusión. Nadie sabe qué cosa es. Siempre se está sujeto de algo; del hambre, la vanidad, el deseo, la lujuria, el poder, la ira, las leyes o la esperanza de forjar la libertad.

9

Trazado el plan de batalla, se desataba la persecución de su figura. Ganar significaba ajustar los acontecimientos al marco establecido. Visto a vuelo de pájaro, la campaña de pacificación no era más que dos inteligencias desplegadas sobre un extenso tablero. Las habilidades de dos generales que se enfrentaban magnificados y enmascarados a través de la danza macabra de sus tropas.

A Jacinto Balam le faltaba lo que le sobraba al virrey Linares: la noción del alcance de su fuerza. La libertad era inconmensurable, inasible; la represión, no. El estado de las cosas tenía una estructura, una forma concreta, posible de reconstruir con certeros golpes de violencia.

Desde que inició la rebeldía, Jacinto Balam no sabía qué pasaría si llegaran a triunfar. El virrey Linares lo sabía perfectamente. La estrategia del Virrey consistía simplemente en ganar, reestablecer el orden alterado. Su táctica era simple. Atacaría de inmediato con las fuerzas disponibles, divididas en dos frentes, a todos los poblados ubicados en el margen del territorio rebelde. Avanzaría, partiendo el territorio rebelde en dos, marchando directamente hasta Cancuc, epicentro de la revuelta, y lo reduciría a cenizas.

10

Santiago Apóstol cabalgaba de nuevo entre las huestes de criollos que entraban en el territorio rebelde. Al mando de las tropas, marchaba Gutiérrez, quien de tanto repetirlo llegó a creer suyo el plan de campaña elaborado por el virrey Linares. Atacar, dividir, reducir al orden. A Gutiérrez lo acompañaban criollos prominentes de Ciudad Real y el fraile Manuel Marcial, quien por su conocimiento del terreno y la población servía de guía y delator. El dragón atacaba por las márgenes hasta que el centro se hacía vulnerable. A su paso vomitaba el fuego de la pólvora, el estallido de las escopetas, blandiendo el filo desnudo de las guadañas.

La tropa criolla cayó con la furia de una tormenta sobre Tila, Tumbalá, Bachajón y Ocosingo. Los nativos alzados se dedicaron más a vengarse degollando a los criollos y ladinos que mantenían presos en los poblados, que a hacer frente a una violencia que los sobrepasaba, un fuego avasallador, el fuego que habían atizado y ahora los devoraba.

Pocos nativos huyeron hacia los montes cercanos buscando reconstruir con sus pasos, los senderos que llevan a Cancuc.

11

La tropa de criollos atacó Huistán, donde Nicolás Vásquez comandaba la resistencia. Sin embargo, la embestida de los criollos fue tan fiera que obligó a los nativos alzados a desalojar la plaza. Los rebeldes se refugiaron en los cerros colindantes y amenazaron con retomar el poblado.

Para evitar que los nativos se escurrieran por las tinieblas de la noche, Gutiérrez mandó a incendiar la casa del cabildo. La inmensa fogata mantuvo iluminados los rostros angustiosos de los enfrentados. Antes del amanecer, las cenizas configuraron un símbolo de la fe criolla. Una cruz brotó de los escombros, sin consumirse por fuego alguno. Los soldados criollos la levantaron como estandarte y se disputaron la oportunidad de besarla. Al regresar a sus puestos de combate, sintieron que la espada de Santiago los protegía.

Cuando las huestes de los indios rebeldes cruzaron la explanada intentando retomar el poblado, escuadras de escopeteros y de la caballería les cortaron el paso al salir detrás de los muros del cementerio. Disparaban sobre los cuerpos próximos de los nativos, que se desplomaban como presas de un súbito desmayo. Para los indios, era extraño contemplar la distante violencia de la pólvora, acostumbrados a los efectos inmediatos de los machetes. La muerte de un plomazo no parecía real sino que el resultado de una pantomima. Algunos convulsionaban antes de quedar inmóviles.

La batalla nutrió la tierra de sangre india derramada. Vásquez y un puñado de nativos se libraron milagrosamente de la muerte. Con sus escuadras completas y entusiastas, Gutiérrez ya sólo esperaba que, desde Guatemala, Cosío y sus tropas se sumaran a los combates para marchar sobre Cancuc y aplastar en definitivo el alzamiento de los indios.

La ofensiva final

1

En un intento desesperado de romper el cerco, Jacinto Balam organizó un asalto definitivo a Ciudad Real desde el poblado de Zinacantán, aprovechando la ausencia del ejército de Gutiérrez. Balam, el rey de los zendales, quería exterminar a todos los habitantes de Ciudad Real e incendiarla, para aumentar sus posibilidades de triunfar sobre un ejército que tomaba forma a su alrededor y marchaba desde todos los flancos sobre el territorio rebelde. Sin embargo, un enviado de Vásquez le informó a Balam de la derrota del poblado de Huistán y el inminente retorno de Gutiérrez. Balam optó por salir al encuentro de las diezmadas tropas de su capitán general; aplazando el ataque sobre Ciudad Real hasta el amanecer del día siguiente.

En medio de la tensión y el caos que se vivía en Ciudad Real, Clemente Velasco organizó la defensa del convento en donde estaba interna Gabriela Alvarado, pues la fuga del obispo Álvarez hacia Chiantla dejó indefensas a las monjas. La madre superiora no podía estar más agradecida con Velasco, quien se demostró como un buen hombre, dispuesto a sacrificarse por quienes entregaban su vida al Señor.

Aprovechándose de la confusión, el fraile José Monroy llegó al poblado de Zinacantán y exhortó a los nativos a que se rindieran. Mientras el fraile Monroy les hablaba, llegó la avanzada de Gutiérrez y aprehendió a los sublevados. Minutos después, Gutiérrez entró al poblado y mandó que ahorcaran a todos los nativos, sin importar si se alzaron o si permanecieron fieles al imperio. Después de todo, eran indios y por serlo resultaban no sólo sospechosos sino que también culpables.

Los pocos que lograron escapar, se internaron en la selva para advertirle a Balam. Mientras corrían hacia Cancuc, se arrepentían de haberse rendido. Ahora, esperaban dar la batalla, encontrar la hermosa muerte del guerrero.

2

Mientras esperaba la llegada del gobernador Cosío, Gutiérrez marchó sobre los poblados de Chenaló y Oxchuc. Los nativos se enfrentaron con arrojo, pero su heroísmo contrastaba con la ignorancia que evidenciaban en el arte de la guerra, la disposición de las tropas y el uso de los recursos tecnológicos. Tronaron las escopetas y los cascos de los caballos en contra de una tenue lluvia de piedras y lanzas. Los nativos huyeron hacia los montes, dispersándose entre los cerros, internándose en la selva. Los poblados fueron reducidos a leños carbonizados y humo.

Los rebeldes cavaron fosos y prepararon empalizadas en los caminos que conducían a su bastión. Cancuc aguardaba el inevitable ataque apilando piedras, los guerreros pensaban en sus respectivos nahuales.

3

El arribo del gobernador y capitán general de Guatemala, José Toribio Cosío, acompañado por el auditor de guerra, Diego de Oviedo, luego de veinte días de cabalgatas bajo las lluvias desde Santiago de los Caballeros, abrió un debate acerca de un tema no contemplado en el plan de campaña que ejecutaba Gutiérrez, alcalde de Chiapas. Debían decidir un rumbo de marcha sobre Cancuc que no permitiera a los alzados escabullirse hacia la impenetrable selva lacandona. Nadie se les debía escapar. Querían atraparlos y quemarlos a todos.

El fraile Marcial, quien conocía a perfección el territorio sublevado, los aconsejó acerca de la manera de lograr su propósito. La marcha arrancó al amanecer del día siguiente.

4

Una escuadra de indios rebeldes atacó al ejército en marcha en la encrucijada de San Martín Teultepec, en el lugar donde el camino se sumía en la hondonada entre dos cerros. Desde una de las elevaciones, lanzaron piedras para frenar el avance de los criollos y permitir que sus compañeros tuvieran más tiempo para preparar la defensa última de Cancuc.

Aullaban mientras lanzaban las piedras. Aullaban antes y después de lanzar las piedras.

Después de ponerse fuera del alcance de los proyectiles, Gutiérrez mandó a una veintena de escopeteros a que tomaran el cerro contrario. Los escopeteros de Cosío apoyaron la escalada. El cielo se estremeció con el retumbar de los disparos. El aire esparcía el olor a pólvora. La lluvia de piedras escampaba. Los aullidos se volvieron esporádicos. Al filo del mediodía, el camino quedó cubierto de los cadáveres de los indios que cayeron fulminados desde las alturas, y libre para el paso de los criollos.

El ejército criollo pasó la noche, que acarreaba el incesante batir de tambores lejanos, en las inmediaciones de Cancuc. Centinelas y rondas fatigaron las tinieblas inmediatas. Ocasionalmente, el silbido de la lechuza fue seguido por un soldado abatido por lanzas o flechas.

El amanecer cobró el color con el que la batalla teñía los caudales. Cuando la niebla se disipó, apareció la empalizada de rostros endurecidos por la fatalidad de la muerte, puños encrespados con ira largamente postergada, pechos agitados como las olas que anteceden las tempestades. A los nativos les esperaba la muerte en el combate o el laberinto de la selva y los largos años en que crecería de nuevo el árbol de la rebeldía. Los tambores batían reciamente. Aullaban los caracoles. Temblaban las sonajas. Gutiérrez y Cosío recorrieron la primera línea de combate. Cada cien pasos se detenían a examinar el amplio terreno vacío que desembocaba en Cancuc. Tras el miedo de sus combatientes, tendrían que vencer la empalizada para alzarse con la victoria. Discutieron hondamente. De pronto, llegaron a un acuerdo. Se replegaron hacia el puesto de mando. Se alzó la cruz que surgió de las cenizas. Sonaron las trompetas. Se levantaron las banderas. Unas cuantas palabras se volvieron rotundas acciones.

Cuatro escuadras de escopeteros y dos de hacheros marcharon hacia la batalla. Flechas, piedras y lanzas surcaron el cielo. Otras cuatro escuadras de escopeteros y dos más de hacheros trotaron hacia lo inesperado a través del campo abierto. Piedras, lanzas y flechas silbaron sobre el lodo. Era curioso. Cuando llegaba la muerte entre el estruendo de los cañones y la melodía de los arcos se asemejaba a una sinfonía. Los pechos desgarrados, los gemidos agonizantes, las cabezas que rodaban, la carne lacerada, conformaban los matices de un lienzo estremecedor y sublime. No bastaba la sangre; también muñones y vísceras tejían la figura que asombraba.

Cancuc fue derrotada el 21 de noviembre. Mientras los soldados saqueaban los escombros, encontraron al nativo Juan García (llamado Jacinto Balam), herido, arrastrándose hacia la selva, y a Nicolás Vásquez, desangrándose, apretando una y otra vez el gatillo de una escopeta ya sin pólvora.

María de la Cruz, Sebastián de la Gloria y cuatro mayordomos más se dieron a la fuga, hacia el corazón de la selva lacandona, hacia el sueño de armar la resistencia y engendrar de nuevo la rebeldía. El fraile Monroy los perseguiría, sin dar jamás con ellos.

Gutiérrez apresó a los cabecillas de la sublevación. Al día siguiente, Balam y Vásquez colgaban inertes de una soga en la plaza de Ciudad Real para aplacar los temores de los criollos y provocar el miedo en los nativos sobrevivientes.

Zavaleta cargó la antorcha con que se incendió uno a uno los ranchos de Cancuc. Del bastión rebelde, quedaron cenizas. La represión se extendió incluso a pueblos que no tomaron parte en el alzamiento. El ejército criollo los recorrió, saqueando las chozas, dejando a los nativos sin instrumentos de trabajo, sin los frutos de la cosecha anterior; violando a las mujeres jóvenes y algunas niñas.

El padre Marcial recorrió los poblados apaciguados proclamando el evangelio y la disposición de las autoridades de perdonar a los revoltosos que se arrepintieran públicamente. Algunos de los que se entregaron fueron ahorcados para simbolizar colectivamente la derrota y engendrar la resignación.

En los reportes que le rindieron al virrey Linares, Gutiérrez y Cosío exageraron. Uno escribió que fueron cinco mil; otro, ocho mil, los nativos alzados. Al hacerlo, tenían un propósito simple: elevar el tamaño de su triunfo. Como parte del botín, el gobernador Cosío recibió el título de marqués de Torrecampo y el gobierno de Filipinas. Pedro Juan Gutiérrez fue confirmado como alcalde de Chiapas, puesto que aprovechó con la misma intensidad que el difunto González.

Gabriela Alvarado colgó los hábitos. Haciendo caso omiso de las suplicas del obispo Álvarez, la Madre Superiora le concedió a Velasco el favor que le pidió tras la defensa del convento: la merced de solicitar la mano de Gabriela, quien aceptó la propuesta. De alguna manera, en el sentir de los criollos, el miedo y la incertidumbre que experimentaron durante la rebelión de los zendales concluyó en la celebración de la boda Velasco y Alvarado, estando todos reunidos y felices. No faltó miembro de las familias de abolengo ni a la misa ni al agasajo. Fue una boda hermosa, rememorada por todos durante décadas.

El fraile Francisco Ximénez llenó sus tardes de exilio entregado a la redacción de una crónica de los sucesos. De esa forma, evadía el dolor que le causaba recordar los versos que le escribió a la mujer que alguna vez amó, como un necio, y apaciguaba los días que lo separaban de su encuentro.

Epílogo

Durante siglos, cada 21 de noviembre se cele-bró en San Cristóbal de las Casas (antes llamada Ciudad Real) una misa de agradecimiento a la Señora de la Caridad por el triunfo criollo sobre los zendales sublevados. Con la eucaristía, los criollos y ladinos sentían que conjuraban el temor que engendraba su propia culpa por mantener a miles de indios aún sometidos a las formas más despiadadas de la servidumbre y humillación humanas. Esa celebración que heredaban de una generación a otro los ponía a salvo, pensaban, de que los nativos bajaran de nuevo de los cerros, furiosos, violentos.

Ximénez no tuvo un papel protagónico en la rebelión de los zendales, pero registró los sucesos. He estudiado con detenimiento las causas que motivaron aquella gesta, porque existen numerosas coincidencias con la situación actual de Chiapas. Como Ximénez, he vivido con los indígenas y me ha conmovido su sufrimiento. A diferencia de él, procuro más que las palabras.

Estuve en la misa del 21 de noviembre de 1993, que pronunciara el entonces obispo Samuel Ruiz. Cuando el rito concluyó, busqué al sacerdote para decirle:

—¿Quién tiene que pedir perdón y quién puede otorgarlo?

Me despidió hoscamente y me siguió con una mirada de extrañeza.

La madrugada del año nuevo de 1994, tras comandar la toma de San Cristóbal de las Casas, repetí, con insistencia, frente a los reporteros, esa pregunta para la cual no encuentro respuesta.

—¿Quién tiene que pedir perdón y quién puede otorgarlo?

Sierra Lacandona, 1995
Nueva York, 2006

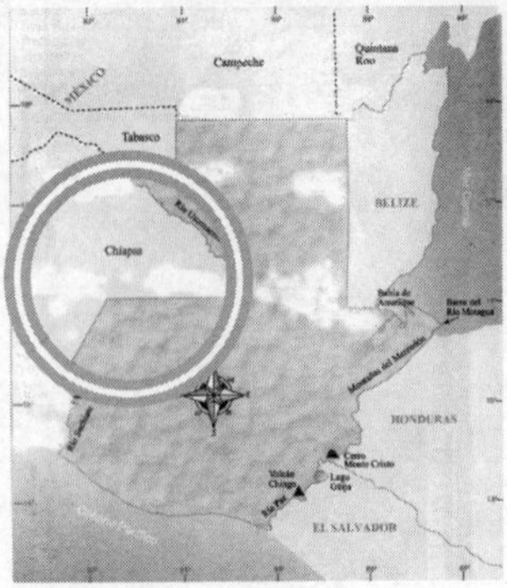

Territorio tzeltal

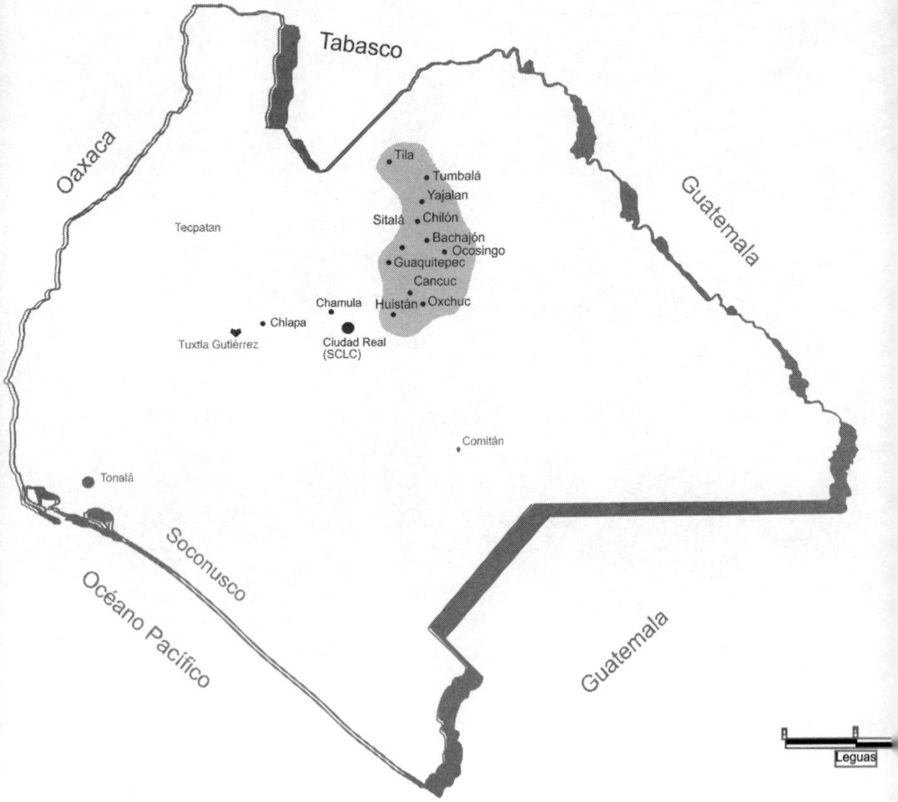

La narrativa de las rebeliones indígenas mayas

En tierras mayas, hablar de "paz social" durante la Colonia y bajo el régimen republicano es una verdad a medias. Las pesadas cargas tributarias impuestas a los indígenas, los despojos de tierras comunales, la imposición del cristianismo —nunca asimilado del todo—, la sistemática destrucción de su cultura, la explotación desmedida de la fuerza de trabajo nativa en provecho de encomenderos, funcionarios de la Corona y de la Iglesia, y las condiciones de miseria extrema incubaron el odio y la violencia: zafarranchos, motines locales y sublevaciones de gran resonancia conforman el rostro amargo de la desesperación.

De atentados a Dios y al Rey las juzgaron los cronistas, justificando la represión y el castigo a los infieles. Confrontación entre "civilización y barbarie" escribieron los pensadores liberales del siglo XIX. De ellos viene la receta de que para redimir la "raza aborigen", degenerada por siglos de abyección, había que inyectarle sangre nueva. El mestizaje como redención civilizatoria.

Copiosa bibliografía trata de ellas desde el siglo XVI. Recuérdese la rebelión cakchiquel de 1524 a raíz de la fundación de la primera capital de Guatemala establecida en Iximché; y los pueblos de Chiapas —tzeltales, tzotziles y zoques— que "tornaron alzarse" inmediatamente después de la campaña de conquista capitaneada por Luís Marín en 1526. A la fecha, más de doscientos títulos, entre libros, artículos y notas, suman los estudios especializados al respecto.

Igualmente la narrativa ha trasmutado la realidad en sustancia de amplia posibilidad creativa. Algunos autores soslayan las circunstancias que provocaron el conflicto, otros lo evaden en el discurso de los personajes o trasladan los hechos a telón de fondo, y los menos procesan el ejercicio narrativo sin desentender los motivos del desahogo.

La "guerra de las castas" tuvo su novelista en Severo del Castillo. Escribió *Cecilio Chi* (1883), líder del levantamiento de Valladolid con el cual inició la sangrienta confrontación que abarcó la península de Yucatán, principalmente la costa oriental, durante casi cincuenta años. Novela inscrita en la escuela romántica, acorde con el pensamiento conservador del autor —funcionario del imperio de Maximiliano de Hasburgo, quien como general combatió a los mayas rebeldes—, acusa fallas de estructura y carece de imparcialidad histórica, limitaciones superadas por la espontaneidad, por no decir ingenuidad del argumento. En términos cronológicos constituye el primer intento de novelar la más cruenta de las "guerras de indios".

Las mejores páginas se deben a la pluma de Ermilio Abreu Gómez. Primero fue *Canek. Historia y leyenda de un héroe maya* (1969), bello seguimiento de la niñez y formación, entre la naturaleza, los sueños y la cotidianidad del indio *macehual* José Jacinto Uc Canek, cabecilla de la sublevación de Cisteil en 1761 y figura trágica de hombre Dios, entronizado como rey indígena con la corona y el manto de la imagen de la Virgen María. La sugerencia es más efectiva que detallar el terrible tormento público final, ante la complacencia y disfrute —fustanes, abanicos, levas y chisteras— del sector hispano y criollo que se encumbraba ya como "casta divina". Vino después *La conjura de Xinún* (1983). Retornan Cecilio Chí y otros generales insurrectos. Realidad en prosa poética. Miguel Ángel Asturias firmó el prólogo en 1956, percibió las virtudes de la novela en la que "convergen meritoriamente la historia y la literatura".

Cecilio Chí (2001) bautizó otra narración. El autor, Javier Gómez Navarrete se considera así mismo "creador indígena" y de ese lado esta vista la primera etapa de la "guerra de castas". Ensayo de recordatorio, queda ahí.

La zaga narrativa inspirada en la rebelión tzotzil de 1869 acaecida en Chiapas la inicia *Florinda* (1884), novela de Flavio Antonio Paniagua, testigo presencial de los acontecimientos. Fiel reflejo de la noción prejuiciosa que privilegia el triunfo del orden conservador sobre la anarquía, la obra sobrevive más como documento testimonial que literario.

De los elementos constitutivos de esta novela, más la consulta hemerográfica de la época y la crónica parcial contenida en *Historia de las sublevaciones indígenas* (1888) de Vicente Pineda, recuento de cobardías y horrores perpetrados por el bando indígena y exaltación de los valores cristianos, nace *Oficio de tinieblas* (1962), la novela más ambiciosa de Rosario Castellanos.

La perspectiva es ahora al revés, condenatoria del universo representado por Ciudad Real -hoy San Cristóbal de las Casas- población orgullosa de los blasones y su ascendencia, avalada por las provanzas de sangre de los conquistadores. Chiapa de los Españoles fue su primer nombre. Rosario Castellanos empezó a redactar la novela mientras trabajaba en un centro indigenista en labores de educación y conoció directamente los acendrados prejuicios y la miserable condición en que permanecen los indígenas en los altos de Chiapas. Su indignación la volcó en la novela, benevolente cuando describe el mundo indígena, no así el ladino, estereotipado en máscaras de maldad y decadencia. Es, según Joseph Sommer (1964), el relato más representativo del que llamó "ciclo Chiapas" en las letras mexicanas.

Un título reciente borda en la trama de la insurrección tzotzil: *Los confines de la utopía. Memorial de agravios en los parajes de la mala muerte* (1992) de Alfredo Palacios. El escenario se traslada de la ciudad sitiada a las aldeas dispersas, a los parajes distantes. Enlaza dos momentos: los sucesos de 1869 y el relato de la vida y muerte en 1914 del líder chamula "Pajarito", personaje manipulado por los políticos ladinos o "coletos" de San Cristóbal. Señala el autor: "Aquí también se da la trilogía de los intereses, manipuladora y cruel, de militares (...), religiosos (...) y los comerciantes". Al final, en manos de estos quedará el poder; los desorejados y muertos en el paredón serán los indios. La crónica la hizo Prudencio Moscoso Pastrana: *Jacinto Pérez "Pajarito" último líder Chamula (1972)*. Un buen ejemplo de historia provinciana. No busca ser literatura y menos novela, pero algunos pasajes hay que pensarlos como tal.

A más de un siglo de distancia de la sublevación de 1712, la repercusión literaria inicial pertenece a Agustín Mencos Franco. *Don Juan Núñez García* fue publicada como folletín del diario La República entre

1862 y 1902. Corresponde al género de novela histórica que en Guatemala desarrolló José Milla y Vidaurre, calcado de los modelos europeos en boga.

Mencos Franco magnificó los alcances de la sublevación más allá de los propósitos inmediatos y manejó la intriga desde la perspectiva del orden colonial. Los personajes actúan bajo impulsos de la pasión condenada a un destino aciago, en un marco idílico acechado por la marejada irracional del alzamiento.

A un lado de la novelística, Daniel G. Brinton -viajero, arqueólogo y anticuario- publicó *María Candelaria, a Historic Drama for American Aboriginal Life* (1897), obra de teatro jamás montada y en nuestros días curiosidad bibliográfica. Dentro de este paréntesis se ubica *Los agravios de su ilustrísima* (1994), de Alfredo Palacios, cuyo argumento teatral retorna a la revuelta de Cancuc.

La influencia territorial del personaje femenino central fue local, no logró articular el descontento de los demás pueblos mayas. La retomó Pedro Viqueira, puntual conocedor de la historia de Chiapas, en *María de la Candelaria, india natural de Cancuc* (1993). Dispuso un discurso llano, estructurado en base a severa documentación y a un ensamble en que la ficción y el referente histórico se conjugan sin que ninguno prevalezca. El hilo del relato lo conduce la sacerdotisa emisaria de los cielos, voz profética que incita a cobrar viejos agravios. La exposición de Viqueira no tiene desperdicio.

La presente novela de Ronald Flores significa un vuelco en su narrativa y no se trata de argumentar si es novela histórica o no, aunque apunta fuentes confiables como la crónica de Fray Francisco Ximénez y los ensayos de Severo Martínez Peláez. Si la propuesta fue allanar la lectura de un hecho histórico otorgándole valores de creación literaria, se logró plenamente. El decurso narrativo se desplaza con sobriedad, es novela y puede ser crónica, se equilibra.

Fray Francisco Ximénez deja caer la pluma con que escribe "el principio de las antiguas historias de este lugar llamado Quiché", y en la oscuridad del recinto conventual abandona los afanes evangelizadores y frente a los indios insumisos muestra fobias y temores y muy escondidos instintos amorosos.

Al correr las páginas los padres de la iglesia exhiben truculencias y los funcionarios de la Provincia obran sin remordimiento, fieles al cargo y los intereses que representan. La cólera de los cabecillas de la insurrección es tajante. En los pueblos asolados tiemblan españoles-gachupines-mestizos-criollos-ladinos-*cashlanes*. Cuando ruedan las cabezas la escritura no otorga concesiones, despojada de artilugios y malabares.

En el Epílogo, Ronald Flores se asume personaje-comandante y se desdobla en la pregunta final. Responde el silencio. Viene de muy atrás, del desencanto de siglos.

Carlos Navarrete Cáceres
Guatemala, 13 de febrero 2008

COLECCIÓN
Mar de tinta
letras centroamericanas

1. *Último silencio*
Ronald Flores

2. *Poemas de la izquierda erótica*
Ana María Rodas

3. *El hombre de Montserrat*
Dante Liano

4. *Ningún lugar sagrado*
Rodrigo Rey Rosa

5. *Ruido de fondo*
Javier Payeras

6. *Tiempo de narrar, cuentos Centroamericanos*
Francisco Alejandro Méndez (Antólogo)

7. *De Fronteras*
Claudia Hernández

8. *De qué manera te olvido*
Dorelia Barahona

9. *El animalero - The Animal Gathering*
Humberto Ak´abal

10. *La rebelión de los zendales*
Ronald Flores

11. *Juego perfecto*
Sergio Ramírez

Este libro coeditado se terminó de imprimir en marzo de 2008.
Guatemala, Centroamérica